MERIMEE

COLOMBA
CARMEN

bibliothèque
lattès

Texte intégral

Les illustrations de COLOMBA
proviennent de la collection
Claire TIÉVANT, exceptées celles
des pages 9, 34 et 207

Né à Paris le 28 septembre 1803 dans une famille mi-artiste, mi bohème, Prosper Mérimée, élève brillant, mais difficile, gouailleur sous un aspect froid, entreprend, après le lycée, des études de droit. Sans enthousiasme. Il préfère la littérature.

Dandy moqueur, il fréquente les salons -où son ironie critique lui vaut quelques inimitiés- se lie avec Stendhal et écrit **Le théâtre de Clara Gazul** qui lui vaut, à 22 ans, la notoriété.

Deux ans plus tard, il rencontre Emilie Lacoste (qu'il peindra sous les traits de Diane de Turgis dans la **Chronique du règne de Charles IX** publié en 1829) et en tombe amoureux, Le mari provoque le jeune séducteur en duel, et le blesse à l'épaule. Mais c'est Emilie qui soignera la blessure de son amant. Leur liaison dure peu. Pour se consoler, Mérimée voyage en Espagne. Il y rencontre la comtesse de Teba : l'une de ses filles sera l'impératrice Eugénie, et Mérimée son mentor à la cour de Napoléon III.

Après la Révolution de Juillet, il devient fonctionnaire. Le soir, ses compagnons de frasques sont Musset, Delacroix, Dumas... En 1834, il est nommé inspecteur des monuments historiques. Il va parcourir dès lors la France et, pendant vingt-six ans, sauver des centaines d'églises, faire restaurer de nombreux monuments. C'est à son action que l'on doit la sauvegarde de Vézelay, de Notre-Dame de Paris, des remparts d'Avignon... Il a pour collaborateur Viollet-le Duc dont il doit souvent réfréner l'enthousiasme. Il publie **la Venus d'Ille** en 1837.

D'une tournée en Corse il rapporte **Colomba** (1840). **Carmen** paraît en 1845, l'année de sa réception à l'Académie française. Quand il ne s'épuise pas à voyager, il continue à mener de front plusieurs intrigues sentimentales, à écrire. Il apprend le catalan, le grec moderne et russe, pour le plaisir de traduire Gogol et Tourgueniev.

En 1853, l'Impératrice Eugénie le fait nommer sénateur. Il devient un personnage quasiofficiel à la cour. Un chagrin d'amour (Valentine Delessert a mis fin à une liaison très orageuse vieille de quinze ans) le rend amer, et plus guindé que jamais, du moins en apparence.

Souffrant d'asthme, il vit à Cannes une grande partie de l'année, quand il n'accompagne pas l'Impératrice, organisant pour elle des soirées "culturelles" avec lectures, charades, bouts-rimés... Il invente, pour amuser la Cour, la fameuse "dictée de Mérimée".

Ses dernières années sont pénibles. Ce célibataire regrette de n'avoir pas eu d'enfant, et doit refuser, tant la maladie le mine, d'être ministre de l'instruction publique. L'asthme l'étouffe, il souffre trop pour dormir.

En 1870, la guerre franco-prussienne le consterne. La défaite française l'accable. Le dandy rigide est devenu un vieillard défait, voûté. Il meurt le 23 septembre, à Cannes.

Colomba a existé. C'était une poètesse, célèbre pour ses improvisations, lors des funérailles. Mérimée la rencontra mais c'est sa fille, Catherine, qu'il mit en scène dans sa nouvelle.

Colomba, construite comme une tragédie, a inspiré de nombreux romans et plusieurs adaptations cinématographiques ou télévisées. D'une banale vendetta, Mérimée a fait un mythe.

Tout comme dans **Carmen** d'un fait divers anodin -furieux d'être bafoué par sa maitresse, une belle gitane, un officier la tue- il a fait une implacable histoire d'amour et de mort.

Là aussi, pèse la fatalité des tragédies grecques. Lors de la parution de la nouvelle, Mérimée écrivait à Mme de Montijo, mère de l'Impératrice : "Je viens de passer huit jours enfermé à écrire une histoire que vous m'avez racontée il y a quinze ans...".

L'oeuvre passe inaperçue. Ce qui n'emeut guère Mérimée qui ironise sur lui-même avec sa cruauté habituelle : "Cette petite drôlerie serait demeurée inédite si l'auteur n'eut été obligé de s'acheter des pantalons".

COLOMBA

CHAPITRE PREMIER

> *Pè far la to vandetta,*
> *Sta sigur', vasta anche ella.*
> « Pour faire ta vendetta
> Sois-en sûr, il suffira d'elle. »

VOCERO DU NIOLO.

Dans les premiers jours du mois d'octobre 181., le colonel Sir Thomas Nevil, Irlandais, officier distingué de l'armée anglaise, descendit avec sa fille à l'hôtel Beauvau, à Marseille, au retour d'un voyage en Italie. L'admiration continue des voyageurs enthousiastes a produit une réaction, et, pour se singulariser, beaucoup de *touristes* aujourd'hui prennent pour devise le *nil admirari* d'Horace. C'est à cette classe de voyageurs mécontents qu'appartenait Miss Lydia, fille unique du colonel. *La Transfiguration* lui avait paru médiocre, le Vésuve en éruption à peine supérieur aux cheminées des usines de Birmingham. En somme, sa grande objection contre l'Italie était que ce pays manquait de couleur locale, de caractère. Explique qui pourra le sens de ces mots, que je

comprenais fort bien il y a quelques années, et que
je n'entends plus aujourd'hui. D'abord, Miss Lydia
s'était flattée de trouver au-delà des Alpes des choses
que personne n'aurait vues avant elle, et dont elle
pourrait parler *avec les honnêtes gens,* comme dit M.
Jourdain. Mais bientôt, partout devancée par ses
compatriotes et désespérant de rencontrer rien
d'inconnu, elle se jeta dans le parti de l'opposition.
Il est bien désagréable, en effet, de ne pouvoir parler
des merveilles de l'Italie sans que quelqu'un ne vous
dise : « Vous connaissez sans doute ce Raphaël du
palais***, à*** ? C'est ce qu'il y a de plus beau en
Italie. » – Et c'est justement ce qu'on a négligé de
voir. Comme il est trop long de tout voir, le plus
simple c'est de tout condamner de parti pris.

À l'hôtel Beauvau, Miss Lydia eut un amer
désappointement. Elle rapportait un joli croquis de
la porte pélasgique ou cyclopéenne de Segni, qu'elle
croyait oubliée par les dessinateurs. Or, Lady Frances
Fen wich, la rencontrant à Marseille, lui montra son
album, où, entre un sonnet et une fleur desséchée,
figurait la porte en question, enluminée à grand
renfort de terre de Sienne. Miss Lydia donna la porte
de Segni à sa femme de chambre, et perdit toute
estime pour les constructions pélasgiques.

Ces tristes dispositions étaient partagées par le
colonel Nevil, qui, depuis la mort de sa femme, ne
voyait les choses que par les yeux de Miss Lydia. Pour
lui, l'Italie avait le tort immense d'avoir ennuyé sa
fille, et par conséquent c'était le plus ennuyeux pays
du monde. Il n'avait rien à dire, il est vrai, contre

L'entrée du port de Marseille, au XIXe siècle

les tableaux et les statues ; mais ce qu'il pouvait assurer, c'est que la chasse était misérable dans ce pays-là, et qu'il fallait faire dix lieues au grand soleil dans la campagne de Rome pour tuer quelques méchantes perdrix rouges.

Le lendemain de son arrivée à Marseille, il invita à dîner le capitaine Ellis, son ancien adjudant, qui venait de passer six semaines en Corse. Le capitaine raconta fort bien à Miss Lydia une histoire de bandits qui avait le mérite de ne ressembler nullement aux histoires de voleurs dont on l'avait si souvent entretenue sur la route de Rome à Naples. Au dessert, les deux hommes, restés seuls avec des bouteilles de vin de Bordeaux, parlèrent chasse, et le colonel apprit qu'il n'y a pas de pays où elle soit plus belle qu'en Corse, plus variée, plus abondante. « On y voit force sangliers, disait le capitaine Ellis, et il faut apprendre à les distinguer des cochons domestiques, qui leur ressemblent d'une manière étonnante ; car, en tuant des cochons, l'on se fait une mauvaise affaire avec leurs gardiens. Ils sortent d'un taillis qu'ils nomment *maquis,* armés jusqu'aux dents, se font payer leurs bêtes et se moquent de vous. Vous avez encore le mouflon, fort étrange animal qu'on ne trouve pas ailleurs, fameux gibier, mais difficile. Cerfs, daims, faisans, perdreaux, jamais on ne pourrait nombrer toutes les espèces de gibier qui fourmillent en Corse. Si vous aimez à tirer, allez en Corse, colonel ; là, comme disait un de mes hôtes, vous pourrez tirer sur tous les gibiers possibles, depuis la grive jusqu'à l'homme. »

Au thé, le capitaine charma de nouveau Miss Lydia par une histoire de vendetta *transversale* [1], encore plus bizarre que la première, et il acheva de l'enthousiasmer pour la Corse en lui décrivant l'aspect étrange, sauvage du pays, le caractère original de ses habitants, leur hospitalité et leurs mœurs primitives. Enfin, il mit à ses pieds un joli petit stylet, moins remarquable par sa forme et sa monture en cuivre que par son origine. Un fameux bandit l'avait cédé au capitaine Ellis, garanti pour s'être enfoncé dans quatre corps humains. Miss Lydia le passa dans sa ceinture, le mit sur sa table de nuit, et le tira deux fois de son fourreau avant de s'endormir. De son côté, le colonel rêva qu'il tuait un mouflon et que le propriétaire lui en faisait payer le prix, à quoi il consentait volontiers, car c'était un animal très curieux, qui ressemblait à un sanglier, avec des cornes de cerf et une queue de faisan.

« Ellis conte qu'il y a une chasse admirable en Corse, dit le colonel, déjeunant tête à tête avec sa fille ; si ce n'était pas si loin, j'aimerais à y passer une quinzaine.

– Eh bien, répondit Miss Lydia, pourquoi n'irions-nous pas en Corse ? Pendant que vous chasseriez, je dessinerais ; je serais charmée d'avoir dans mon album la grotte dont parlait le capitaine Ellis, où Bonaparte allait étudier quand il était enfant. »

C'était peut-être la première fois qu'un désir

1. C'est la vengeance que l'on fait tomber sur un parent plus ou moins éloigné de l'auteur de l'offense.

manifesté par le colonel eût obtenu l'approbation de
sa fille. Enchanté de cette rencontre inattendue, il
eut pourtant le bon sens de faire quelques objections
pour irriter l'heureux caprice de Miss Lydia. En vain
il parla de la sauvagerie du pays et de la difficulté
pour une femme d'y voyager : elle ne craignait rien ;
elle aimait par-dessus tout à voyager à cheval ; elle
se faisait une fête de coucher au bivouac ; elle
menaçait d'aller en Asie Mineure. Bref, elle avait
réponse à tout, car jamais Anglaise n'avait été en
Corse ; donc elle devait y aller. Et quel bonheur, de
retour dans Saint-James'Place, de montrer son
album ! « Pourquoi donc, ma chère, passez-vous ce
charmant dessin ? – Oh ! ce n'est rien. C'est un
croquis que j'ai fait d'après un fameux bandit corse
qui nous a servi de guide. – Comment ! vous avez
été en Corse ?... »

Les bateaux à vapeur n'existant point encore entre
la France et la Corse, on s'enquit d'un navire en
partance pour l'île que Miss Lydia se proposait de
découvrir. Dès le jour même, le colonel écrivait à
Paris pour décommander l'appartement qui devait
le recevoir, et fit marché avec le patron d'une
goélette corse qui allait faire voile pour Ajaccio. Il
y avait deux chambres telles quelles. On embarqua
des provisions ; le patron jura qu'un vieux sien
matelot était un cuisinier estimable et n'avait pas son
pareil pour la bouillabaisse ; il promit que mademoiselle serait convenablement, qu'elle aurait bon vent,
belle mer.

En outre, d'après les volontés de sa fille, le colonel

stipula que le capitaine ne prendrait aucun passager, et qu'il s'arrangerait pour raser les côtes de l'île de façon qu'on pût jouir de la vue des montagnes.

CHAPITRE II

Au jour fixé pour le départ, tout était emballé, embarqué dès le matin : la goélette devait partir avec la brise du soir. En attendant, le colonel se promenait avec sa fille sur La Canebière, lorsque le patron l'aborda pour lui demander la permission de prendre à son bord un de ses parents, c'est-à-dire le petit-cousin du parrain de son fils aîné, lequel retournant en Corse, son pays natal, pour affaires pressantes, ne pouvait trouver de navire pour le passer.

« C'est un charmant garçon, ajouta le capitaine Matei, militaire, officier aux chasseurs à pied de la garde, et qui serait déjà colonel si l'Autre était encore empereur.

– Puisque c'est un militaire », dit le colonel... il allait ajouter : « Je consens volontiers à ce qu'il vienne avec nous... » mais Miss Lydia s'écria en anglais :

« Un officier d'infanterie !... (son père ayant servi dans la cavalerie, elle avait du mépris pour toute autre arme) un homme sans éducation peut-être, qui aura le mal de mer, et qui nous gâtera tout le plaisir de la traversée ! »

Le patron n'entendait pas un mot d'anglais, mais il parut comprendre ce que disait Miss Lydia à la petite moue de sa jolie bouche, et il commença un éloge en trois points de son parent, qu'il termina en assurant que c'était un homme très comme il faut, d'une famille de *Caporaux,* et qu'il ne gênerait en rien monsieur le colonel, car lui, patron, se chargeait de le loger dans un coin où l'on ne s'apercevrait pas de sa présence.

Le colonel et Miss Nevil trouvèrent singulier qu'il y eût en Corse des familles où l'on fût ainsi caporal de père en fils ; mais, comme ils pensaient pieusement qu'il s'agissait d'un caporal d'infanterie, ils conclurent que c'était quelque pauvre diable que le patron voulait emmener par charité. S'il se fût agi d'un officier, on eût été obligé de lui parler, de vivre avec lui ; mais, avec un caporal, il n'y a pas à se gêner, et c'est un être sans conséquence, lorsque son escouade n'est pas là, baïonnette au bout du fusil, pour vous mener où vous n'avez pas envie d'aller.

« Votre parent a-t-il le mal de mer ? demanda Miss Nevil d'un ton sec.

– Jamais, mademoiselle ; le cœur ferme comme un roc, sur mer comme sur terre.

– Eh bien, vous pouvez l'emmener, dit-elle.

– Vous pouvez l'emmener », répéta le colonel, et ils continuèrent leur promenade.

Vers cinq heures du soir, le capitaine Matei vint les chercher pour monter à bord de la goélette. Sur le port, près de la yole du capitaine, ils trouvèrent un grand jeune homme vêtu d'une redingote bleue boutonnée jusqu'au menton, le teint basané, les yeux noirs, vifs, bien fendus, l'air franc et spirituel. A la manière dont il effaçait les épaules, à sa petite moustache frisée, on reconnaissait facilement un militaire ; car, à cette époque, les moustaches ne couraient pas les rues, et la garde nationale n'avait pas encore introduit dans toutes les familles la tenue avec les habitudes de corps de garde.

Le jeune homme ôta sa casquette en voyant le colonel, et le remercia sans embarras et en bons termes du service qu'il lui rendait.

« Charmé de vous être utile, mon garçon », dit le colonel en lui faisant un signe de tête amical.

Et il entra dans la yole.

« Il est sans gêne, votre Anglais », dit tout bas en italien le jeune homme au patron.

Celui-ci plaça son index sous son œil gauche et abaissa les deux coins de la bouche. Pour qui comprend le langage des signes, cela voulait dire que l'Anglais entendait l'italien et que c'était un homme bizarre. Le jeune homme sourit légèrement, toucha son front en réponse au signe de Matei, comme pour lui dire que tous les Anglais avaient quelque chose de travers dans la tête, puis il s'assit auprès du patron, et considéra avec beaucoup d'attention, mais sans impertinence, sa jolie compagne de voyage.

« Ils ont bonne tournure, ces soldats français, dit le colonel à sa fille en anglais ; aussi en fait-on facilement des officiers. »

Puis, s'adressant en français au jeune homme :

« Dites-moi, mon brave, dans quel régiment avez-vous servi ? »

Celui-ci donna un léger coup de coude au père du filleul de son petit-cousin, et, comprimant un sourire ironique, répondit qu'il avait été dans les chasseurs à pied de la garde, et que présentement il sortait du 7e léger.

« Est-ce que vous avez été à Waterloo ? Vous êtes bien jeune.

— Pardon, mon colonel ; c'est ma seule campagne.

— Elle compte double », dit le colonel.

Le jeune Corse se mordit les lèvres.

« Papa, dit Miss Lydia en anglais, demandez-lui donc si les Corses aiment beaucoup leur Bonaparte ? »

Avant que le colonel eût traduit la question en français, le jeune homme répondit en assez bon anglais, quoique avec un accent prononcé :

« Vous savez, mademoiselle, que nul n'est prophète en son pays. Nous autres, compatriotes de Napoléon, nous l'aimons peut-être moins que les Français. Quant à moi, bien que ma famille ait été autrefois l'ennemie de la sienne, je l'aime et l'admire.

— Vous parlez anglais ! s'écria le colonel.

— Fort mal, comme vous pouvez vous en apercevoir. »

Bien qu'un peu choquée de son ton dégagé, Miss Lydia ne put s'empêcher de rire en pensant à une inimitié personnelle entre un caporal et un empereur. Ce lui fut comme un avant-goût des singularités de la Corse, et elle se promit de noter le trait sur son journal.

« Peut-être avez-vous été prisonnier en Angleterre ? demanda le colonel.

— Non, mon colonel, j'ai appris l'anglais en France, tout jeune, d'un prisonnier de votre nation. »

Puis, s'adressant à Miss Nevil :

« Matei m'a dit que vous reveniez d'Italie. Vous parlez sans doute le pur toscan, mademoiselle ; vous serez un peu embarrassée, je le crains, pour comprendre notre patois.

— Ma fille entend tous les patois italiens, répondit le colonel ; elle a le don des langues. Ce n'est pas comme moi.

— Mademoiselle comprendrait-elle, par exemple, ces vers d'une de nos chansons corses ? C'est un berger qui dit à une bergère :

S'entrassi 'ndru Paradisu santu, santu,
E nun truvassi a tia, mi n'esciria [1]. »

Miss Lydia comprit, et trouvant la citation audacieuse et plus encore le regard qui l'accompagnait, elle répondit en rougissant : «« *Capisco.* »

« Et vous retournez dans votre pays en semestre ? demanda le colonel.

— Non, mon colonel. Ils m'ont mis en demi-solde, probablement parce que j'ai été à Waterloo et que

[1]. « Si j'entrais dans le paradis saint, saint, et si je ne t'y trouvais pas, j'en sortirais. » *(Serenata di Zicavo.)*

je suis compatriote de Napoléon. Je retourne chez
moi, léger d'espoir, léger d'argent, comme dit la
chanson. »

Et il soupira en regardant le ciel.

Le colonel mit la main à sa poche, et retournant
entre ses doigts une pièce d'or, il cherchait une
phrase pour la glisser poliment dans la main de son
ennemi malheureux.

« Et moi aussi, dit-il, d'un ton de bonne humeur,
on m'a mis en demi-solde ; mais... avec votre
demi-solde vous n'avez pas de quoi vous acheter du
tabac. Tenez, caporal. »

Et il essaya de faire entrer la pièce d'or dans la
main fermée que le jeune homme appuyait sur le
rebord de la yole.

Le jeune Corse rougit, se redressa, se mordit les
lèvres, et paraissait disposé à répondre avec emportement, quand tout à coup, changeant d'expression,
il éclata de rire. Le colonel, sa pièce à la main,
demeurait tout ébahi.

« Colonel, dit le jeune homme reprenant son
sérieux, permettez-moi de vous donner deux avis :
le premier, c'est de ne jamais offrir de l'argent à un
Corse, car il y a de mes compatriotes assez impolis
pour vous le jeter à la tête ; le second, c'est de ne
pas donner aux gens des titres qu'ils ne réclament
point. Vous m'appelez caporal et je suis lieutenant.
Sans doute, la différence n'est pas bien grande,
mais...

– Lieutenant ! s'écria Sir Thomas, lieutenant !

mais le patron m'a dit que vous étiez caporal, ainsi que votre père et tous les hommes de votre famille. »

A ces mots le jeune homme, se laissant aller à la renverse, se mit à rire de plus belle et de si bonne grâce, que le patron et ses deux matelots éclatèrent en chœur.

« Pardon, colonel, dit enfin le jeune homme ; mais le quiproquo est admirable, je ne l'ai compris qu'à l'instant. En effet, ma famille se glorifie de compter des caporaux parmi ses ancêtres ; mais nos caporaux corses n'ont jamais eu de galons sur leurs habits. Vers l'an de grâce 1100, quelques communes, s'étant révoltées contre la tyrannie des seigneurs montagnards, se choisirent des chefs qu'elles nommèrent *caporaux.* Dans notre île, nous tenons à l'honneur de descendre de ces espèces de tribuns.

– Pardon, monsieur ! s'écria le colonel, mille fois pardon. Puisque vous comprenez la cause de ma méprise, j'espère que vous voudrez bien l'excuser. »

Et il lui tendit la main.

« C'est la juste punition de mon petit orgueil, colonel, dit le jeune homme riant toujours et serrant cordialement la main de l'Anglais ; je ne vous en veux pas le moins du monde. Puisque mon ami Matei m'a si mal présenté, permettez-moi de me présenter moi-même : je m'appelle Orso della Rebbia, lieutenant en demi-solde, et, si, comme je le présume en voyant ces deux beaux chiens, vous venez en Corse pour chasser, je serai très flatté de vous faire les honneurs de nos maquis et de nos montagnes... si toutefois je ne les ai pas oubliés », ajouta-t-il en soupirant.

En ce moment la yole touchait la goélette. Le lieutenant offrit la main à Miss Lydia, puis aida le colonel à se guinder sur le pont. Là, Sir Thomas, toujours fort penaud de sa méprise, et, ne sachant comment faire oublier son impertinence à un homme qui datait de l'an 1100, sans attendre l'assentiment de sa fille, le pria à souper en lui renouvelant ses excuses et ses poignées de main. Miss Lydia fronçait bien un peu le sourcil, mais, après tout, elle n'était pas fâchée de savoir ce que c'était qu'un caporal ; son hôte ne lui avait pas déplu, elle commençait même à lui trouver un certain je ne sais quoi aristocratique ; seulement il avait l'air trop franc et trop gai pour un héros de roman.

« Lieutenant della Rebbia, dit le colonel en le saluant à la manière anglaise, un verre de vin de Madère à la main, j'ai vu en Espagne beaucoup de vos compatriotes : c'était de la fameuse infanterie en tirailleurs.

— Oui, beaucoup sont restés en Espagne, dit le jeune lieutenant d'un air sérieux.

— Je n'oublierai jamais la conduite d'un bataillon corse à la bataille de Vittoria, poursuivit le colonel. Il doit m'en souvenir, ajouta-t-il, en se frottant la poitrine. Toute la journée ils avaient été en tirailleurs dans les jardins, derrière les haies, et nous avaient tué je ne sais combien d'hommes et de chevaux. La retraite décidée, ils se rallièrent et se mirent à filer grand train. En plaine, nous espérions prendre notre

revanche, mais mes drôles... excusez, lieutenant,
– ces braves gens, dis-je, s'étaient formés en carré,
et il n'y avait pas moyen de les rompre. Au milieu
du carré, je crois le voir encore, il y avait un officier
monté sur un petit cheval noir ; il se tenait à côté
de l'aigle, fumant son cigare comme s'il eût été au
café. Parfois, comme pour nous braver, leur musique
nous jouait des fanfares... Je lance sur eux mes deux
premiers escadrons... Bah ! au lieu de mordre sur
le front du carré, voilà mes dragons qui passent à
côté, puis font demi-tour, et reviennent fort en
désordre et plus d'un cheval sans maître... et toujours
la diable de musique ! Quand la fumée qui enveloppait le bataillon se dissipa, je revis l'officier à côté
de l'aigle, fumant encore son cigare. Enragé, je me
mis moi-même à la tête d'une dernière charge. Leurs
fusils, crassés à force de tirer, ne partaient plus, mais
les soldats étaient formés sur six rangs, la baïonnette
au nez des chevaux, on eût dit un mur. Je criais,
j'exhortais mes dragons, je serrais la botte pour faire
avancer mon cheval quand l'officier dont je vous
parlais, ôtant enfin son cigare, me montra de la main
à un de ses hommes. J'entendis quelque chose
comme : *Al capello bianco !* J'avais un plumet blanc.
Je n'en entendis pas davantage, car une balle me
traversa la poitrine. – C'était un beau bataillon,
monsieur della Rebbia, le premier du 18e léger, tous
Corses, à ce qu'on me dit depuis.

– Oui, dit Orso dont les yeux brillaient pendant
ce récit, ils soutinrent la retraite et rapportèrent leur

aigle ; mais les deux tiers de ces braves gens dorment aujourd'hui dans la plaine de Vittoria.

– Et par hasard ! sauriez-vous le nom de l'officier qui les commandait ?

– C'était mon père. Il était alors major au 18ᵉ, et fut fait colonel pour sa conduite dans cette triste journée.

– Votre père ! Par ma foi, c'était un brave ! J'aurais du plaisir à le revoir, et je le reconnaîtrais, j'en suis sûr. Vit-il encore ?

– Non, colonel, dit le jeune homme pâlissant légèrement.

– Était-il à Waterloo ?

– Oui, colonel, mais il n'a pas eu le bonheur de tomber sur un champ de bataille... Il est mort en corse... il y a deux ans... Mon Dieu ! que cette mer est belle ! il y a dix ans que je n'ai vu la Méditerranée.

– Ne trouvez-vous pas la Méditerranée plus belle que l'Océan, mademoiselle ?

– Je la trouve trop bleue... et les vagues manquent de grandeur.

– Vous aimez la beauté sauvage, mademoiselle ? A ce compte, je crois que la Corse vous plaira.

– Ma fille, dit le colonel, aime tout ce qui est extraordinaire ; c'est pourquoi l'Italie ne lui a guère plu.

– Je ne connais de l'Italie, dit Orso, que Pise, où j'ai passé quelque temps au collège ; mais je ne puis penser sans admiration au Campo-Santo, au Dôme, à la Tour penchée... au Campo-Santo surtout. Vous vous rappelez *la Mort*, d'Orcagna... Je crois que je pourrais la dessiner, tant elle est restée gravée dans ma mémoire. »

Miss Lydia craignit que monsieur le lieutenant ne s'engageât dans une tirade d'enthousiasme.

« C'est très joli, dit-elle en bâillant. Pardon, mon père, j'ai un peu mal à la tête, je vais descendre dans ma chambre. »

Elle baisa son père sur le front, fit un signe de tête majestueux à Orso et disparut. Les deux hommes causèrent alors chasse et guerre.

Ils apprirent qu'à Waterloo ils étaient en face l'un de l'autre, et qu'ils avaient dû échanger bien des balles. Leur bonne intelligence en redoubla. Tour à tour ils critiquèrent Napoléon, Wellington et Blücher, puis ils chassèrent ensemble le daim, le sanglier et le mouflon. Enfin, la nuit étant déjà très avancée, et la dernière bouteille de bordeaux finie, le colonel serra de nouveau la main au lieutenant et lui souhaita le bonsoir, en exprimant l'espoir de cultiver une connaissance commencée d'une façon si ridicule. Ils se séparèrent, et chacun fut se coucher.

CHAPITRE III

La nuit était belle, la lune se jouait sur les flots, le navire voguait doucement au gré d'une brise légère, Miss Lydia n'avait point envie de dormir, et ce n'était que la présence d'un profane qui l'avait empêchée

de goûter ces émotions qu'en mer et par un clair
de lune tout être humain éprouve quand il a deux
grains de poésie dans le cœur. Lorsqu'elle jugea que
le jeune lieutenant dormait sur les deux oreilles,
comme un être prosaïque qu'il était, elle se leva, prit
une pelisse, éveilla sa femme de chambre et monta
sur le pont. Il n'y avait personne qu'un matelot au
gouvernail, lequel chantait une espèce de complainte
dans le dialecte corse, sur un air sauvage et
monotone. Dans le calme de la nuit, cette musique
étrange avait son charme. Malheureusement Miss
Lydia ne comprenait pas parfaitement ce que chantait
le matelot. Au milieu de beaucoup de lieux
communs, un vers énergique excitait vivement sa
curiosité, mais bientôt, au plus beau moment,
arrivaient quelques mots de patois dont le sens lui
échappait. Elle comprit pourtant qu'il était question
d'un meurtre. Des imprécations contre les assassins,
des menaces de vengeance, l'éloge du mort, tout cela
était confondu pêle-mêle. Elle retint quelques vers ;
je vais essayer de les traduire :

« – Ni les canons, ni les baïonnettes – n'ont fait pâlir
son front, – serein sur un champ de bataille – comme un
ciel d'été. – Il était le faucon ami de l'aigle, – miel des sables
pour ses amis, – pour ses ennemis la mer en courroux.
– Plus haut que le soleil, – plus doux que la lune. – Lui
que les ennemis de la France – n'atteignirent jamais, – des
assassins de son pays – l'ont frappé par-derrière, – comme
Vittolo tua Sampiero Corso [1]. – Jamais ils n'eussent osé le

1. Voyez Filippini, liv. XI. – Le nom de Vittolo est encore
en exécration parmi les Corses. C'est aujourd'hui un synonyme
de traître.

regarder en face. –... Placez sur la muraille, devant mon lit, – ma croix d'honneur bien gagnée. – Rouge en est le ruban, – Plus rouge ma chemise. – A mon fils, mon fils en lointain pays, – gardez ma croix et ma chemise sanglante. – Il y verra deux trous. – Pour chaque trou, un trou dans une autre chemise. – Mais la vengeance sera-t-elle faite alors ? – Il me faut la main qui a tiré – l'œil qui a visé, – le cœur qui a pensé... !

Le matelot s'arrêta tout à coup.

« Pourquoi ne continuez-vous pas, mon ami ? » demanda Miss Nevil.

Le matelot, d'un mouvement de tête, lui montra une figure qui sortait du grand panneau de la goélette : c'était Orso qui venait jouir du clair de lune.

« Achevez donc votre complainte, dit Miss Lydia, elle me faisait grand plaisir. »

Le matelot se pencha vers elle et dit fort bas :

« Je ne donne le *rimbecco* à personne.

– Comment ? le... ? »

Le matelot, sans répondre, se mit à siffler.

« Je vous prends à admirer notre Méditerranée, Miss Nevil, dit Orso s'avançant vers elle. Convenez qu'on ne voit point ailleurs cette lune-ci.

– Je ne la regardais pas. J'étais tout occupée à étudier le corse. Ce matelot, qui chantait une complainte des plus tragiques, s'est arrêté au plus beau moment. »

Le matelot se baissa comme pour mieux lire sur la boussole, et tira rudement la pelisse de Miss Nevil. Il était évident que sa complainte ne pouvait être chantée devant le lieutenant Orso.

« Que chantais-tu là, Paolo Francé ? dit Orso ; est-ce une *ballata ?* un *vocero* [1]. Mademoiselle te comprend et voudrait entendre la fin.

– Je l'ai oubliée, Ors' Anton' », dit le matelot.

Et sur-le-champ il se mit à entonner à tue-tête un cantique à la Vierge.

Miss Lydia écouta la cantique avec distraction et ne pressa pas davantage le chanteur, se promettant bien toutefois de savoir plus tard le mot de l'énigme. Mais sa femme de chambre, qui, étant de Florence, ne comprenait pas mieux que sa maîtresse le dialecte corse, était aussi curieuse de s'instruire ; et s'adressant à Orso avant que celle-ci pût l'avertir par un coup de coude :

« Monsieur le capitaine, dit-elle, que veut dire *donner le rimbecco* [2] ?

1. Lorsqu'un homme est mort, particulièrement lorsqu'il a été assassiné, on place son corps sur une table, et les femmes de sa famille, à leur défaut, des amies, ou même des femmes étrangères connues pour leur talent poétique, improvisent devant un auditoire nombreux des complaintes en vers dans le dialecte du pays. On nomme ces femmes *voceratrici* ou, suivant la prononciation corse, *buceratrici,* et la complainte s'appelle *vocero, buceru, buceratu,* sur la côte orientale ; *ballata,* sur la côte opposée. Le mot *vocero,* ainsi que ses dérivés, *vocerar, voceratrice,* vient du latin *vociferare.* Quelquefois, plusieurs femmes improvisent tour à tour, et souvent la femme ou la fille du mort chante elle-même la complainte funèbre.

2. *Rimbeccare,* en italien, signifie renvoyer, riposter, rejeter. Dans le dialecte corse, cela veut dire : adresser un reproche offensant et public. – On donne le *rimbecco* au fils d'un homme assassiné en lui disant que son père n'est pas vengé. Le *rimbecco* est une espèce de mise en demeure pour l'homme qui n'a pas encore lavé une injure dans le sang. – La loi génoise punissait très sévèrement l'auteur d'un *rimbecco...*

Le vocero. "Lorsqu'un homme est mort, particulièrement lorsqu'il a été assassiné, on place son corps sur une table et les femmes (...) improvisent des complaintes en vers dans le dialecte du pays."

– Le rimbecco ! dit Orso ; mais c'est faire la plus mortelle injure à un Corse : c'est lui reprocher de ne pas s'être vengé. Qui vous a parlé de rimbecco ?

– C'est hier à Marseille, répondit Miss Lydia avec empressement, que le patron de la goélette s'est servi de ce mot.

– Et de qui parlait-il ? demanda Orso avec vivacité.

– Oh ! il nous contait une vieille histoire... du temps de..., oui, je crois que c'était à propos de Vannina d'Ornano ?

– La mort de Vannina, je le suppose, mademoiselle, ne vous a pas fait beaucoup aimer notre héros, le brave Sampiero ?

– Mais trouvez-vous que ce soit bien héroïque ?

– Son crime a pour excuse les mœurs sauvages du temps ; et puis Sampiero faisait une guerre à mort aux Génois : quelle confiance auraient pu avoir en lui ses compatriotes, s'il n'avait pas puni celle qui cherchait à traiter avec Gênes ?

– Vannina, dit le matelot, était partie sans la permission de son mari ; Sampiero a bien fait de lui tordre le cou.

– Mais, dit Miss Lydia, c'était pour sauver son mari, c'est par amour pour lui, qu'elle allait demander sa grâce aux Génois.

– Demander sa grâce, c'était l'avilir ! s'écria Orso.

– Et la tuer lui-même ! poursuit Miss Nevil. Quel monstre ce devait être !

– Vous savez qu'elle lui demanda comme une faveur de périr de sa main. Othello, mademoiselle, le regardez-vous aussi comme un monstre ?

– Quelle différence ! il était jaloux ; Sampiero n'avait que de la vanité.

– Et la jalousie, n'est-ce pas aussi de la vanité ? C'est la vanité de l'amour, et vous l'excuserez peut-être en faveur du motif ? »

Miss Lydia lui jeta un regard plein de dignité, et, s'adressant au matelot, lui demanda quand la goélette arriverait au port.

« Après-demain, dit-il, si le vent continue.

– Je voudrais déjà voir Ajaccio, car ce navire m'excède. »

Elle se leva, prit le bras de sa femme de chambre et fit quelques pas sur le tillac. Orso demeura immobile auprès du gouvernail, ne sachant s'il devait se promener avec elle ou bien cesser une conversation qui paraissait l'importuner.

« Belle fille, par le sang de la Madone ! dit le matelot ; si toutes les puces de mon lit lui ressemblaient, je ne me plaindrais pas d'en être mordu ! »

Miss Lydia entendit peut-être cet éloge naïf de sa beauté et s'en effaroucha, car elle descendit presque aussitôt dans sa chambre. Bientôt après Orso se retira de con côté. Dès qu'il eut quitté le tillac, la femme de chambre remonta, et, après avoir fait subir un interrogatoire au matelot, rapporta les renseignements suivants à sa maîtresse : la ballata interrompue par la présence d'Orso avait été composée à l'occasion de la mort du colonel della Rebbia, père du susdit, assassiné il y avait deux ans. Le matelot ne doutait pas qu'Orso ne revînt en Corse *pour faire la vengeance*, c'était son expression, et affirmait qu'avant peu on verrait *de la viande fraîche* dans le village de Pietranera. Traduction faite de ce terme national, il résultait que le seigneur Orso se proposait d'assassiner deux ou trois personnes soupçonnées d'avoir assassiné son père, lesquelles, à la vérité, avaient été recherchées en justice pour ce fait, mais s'étaient trouvées blanches comme neige attendu qu'elles avaient dans leur manche juges, avocats, préfets et gendarmes.

« Il n'y a pas de justice en Corse, ajoutait le matelot, et je fais plus de cas d'un bon fusil que d'un conseiller à la cour royale. Quand on a un ennemi, il faut choisir entre les trois S [1]. »

Ces renseignements intéressants changèrent d'une façon notable les manières et les dispositions de Miss Lydia à l'égard du lieutenant della Rebbia. Dès ce moment il était devenu un personnage aux yeux de la romanesque Anglaise. Maintenant cet air d'insouciance, ce ton de franchise et de bonne humeur, qui d'abord l'avaient prévenue défavorablement, devenaient pour elle un mérite de plus, car c'était la profonde dissimulation d'une âme énergique, qui ne laisse percer à l'extérieur aucun des sentiments qu'elle renferme. Orso lui parut une espèce de Fiesque [2], cachant de vastes desseins sous une

---

1. Expression nationale, c'est-à-dire *schiopetto, stiletto, strada,* fusil, stylet, fuite.
2. Fiesque, noble Génois, ourdit en 1547 un complot contre André Doria, chef suprême de Gênes et contre le neveu de celui-ci. Il périt accidentellement pendant le massacre qu'il avait déclenché. Le cardinal de Retz a écrit l'histoire de la *Conspiration de Fiesque.* Schiller et, en 1824, Ancelot la portèrent au théâtre.

apparence de légèreté ; et, quoiqu'il soit moins beau de tuer quelques coquins que de délivrer sa patrie, cependant une belle vengeance est belle ; et d'ailleurs les femmes aiment assez qu'un héros ne soit pas homme politique. Alors seulement Miss Nevil remarqua que le jeune lieutenant avait de fort grands yeux, des dents blanches, une taille élégante, de l'éducation et quelque usage du monde. Elle lui parla souvent dans la journée suivante, et sa conversation l'intéressa. Il fut longuement questionné sur son pays, et il en parlait bien. La Corse, qu'il avait quittée fort jeune, d'abord pour aller au collège, puis à l'école militaire, était restée dans son esprit parée de couleurs poétiques. Il s'animait en parlant de ses montagnes, de ses forêts, des coutumes originales de ses habitants. Comme on peut le penser, le mot de vengeance se présenta plus d'une fois dans ses récits, car il est impossible de parler des Corses sans attaquer ou sans justifier leur passion proverbiale. Orso surprit un peu Miss Nevil en condamnant d'une manière générale les haines interminables de ses compatriotes. Chez les paysans, toutefois, il cherchait à les excuser, et prétendait que la *vendette* est le duel des pauvres. « Cela est si vrai, disait-il qu'on ne s'assassine qu'après un défi en règle. « Garde-toi, je me garde », telles sont les paroles sacramentelles qu'échangent des ennemis avant de se tendre des embuscades l'un à l'autre. Il y a plus d'assassinats chez nous, ajoutait-il, que partout ailleurs ; mais jamais vous ne trouverez une cause ignoble à ses crimes. Nous avons, il est vrai, beaucoup de meurtriers, mais pas un voleur. »

Lorsqu'il prononçait les mots de vengeance et de meurtre, Miss Lydia le regardait attentivement, mais sans découvrir sur ses traits la moindre trace d'émotion. Comme elle avait décidé qu'il avait la force d'âme nécessaire pour se rendre impénétrable à tous les yeux, les siens exceptés, bien entendu, elle continua de croire fermement que les mânes du colonel della Rebbia n'attendraient pas longtemps la satisfaction qu'ils réclamaient.

Déjà la goélette était en vue de la Corse. Le patron nommait les points principaux de la côte, et, bien qu'ils fussent tous parfaitement inconnus à Miss Lydia, elle trouvait quelque plaisir à savoir leurs noms. Rien de plus ennuyeux qu'un paysage anonyme. Parfois la longue-vue du colonel faisait apercevoir quelque insulaire, vêtu de drap brun, armé d'un long fusil, monté sur un petit cheval, et galopant sur des pentes rapides. Miss Lydia, dans chacun, croyait voir un bandit, ou bien un fils allant venger la mort de son père ; mais Orso assurait que c'était quelque paisible habitant du bourg voisin voyageant pour ses affaires ; qu'il portait un fusil moins par nécessité que par *galanterie*, par mode, de même qu'un dandy ne sort qu'avec une canne élégante. Bien qu'un fusil soit une arme moins noble et moins poétique qu'un stylet, Miss Lydia trouvait que, pour un homme, cela était plus élégant qu'une canne, et elle se rappelait que tous les héros de Lord Byron meurent d'une balle et non d'un classique poignard.

Après trois jours de navigation, on se trouva devant les Sanguinaires, et le magnifique panorama du golfe d'Ajaccio se développa aux yeux de nos voyageurs. C'est avec raison qu'on le compare à la baie de Naples ; et au moment où la goélette entrait dans le port, un maquis en feu, couvrant de fumée la Punta di Girato, rappelait le Vésuve et ajoutait à la ressemblance. Pour qu'elle fût complète, il faudrait qu'une armée d'Attila vînt s'abattre sur les environs de Naples ; car tout est mort et désert autour d'Ajaccio. Au lieu de ces élégantes fabriques qu'on découvre de tous côtés depuis Castellamare jusqu'au cap Misène, on ne voit, autour du golfe d'Ajaccio, que de sombres maquis, et derrière, des montagnes pelées. Pas une villa, pas une habitation. Seulement çà et là, sur les hauteurs autour de la ville, quelques constructions blanches se détachent isolées sur un fond de verdure ; ce sont des chapelles funéraires, des tombeaux de famille. Tout, dans ce paysage, est d'une beauté grave et triste.

L'aspect de la ville, surtout à cette époque, augmentait encore l'impression causée par la solitude de ses alentours. Nul mouvement dans les rues, où l'on ne rencontre qu'un petit nombre de figures oisives, et toujours les mêmes. Point de femmes, sinon quelques paysannes qui viennent vendre leurs denrées. On n'entend point parler haut, rire, chanter, comme dans les villes italiennes. Quelquefois, à l'ombre d'un arbre de la promenade, une douzaine de paysans armés jouent aux cartes ou regardent jouer. Ils ne crient pas, ne se disputent jamais ; si

La baie d'Ajaccio, au XIXᵉ siècle.
"On ne voit, autour du golfe, que de sombres maquis, et derrière, des montagnes pelées... Tout, dans ce paysage, est d'une beauté rare et triste."

le jeu s'anime, on entend alors des coups de pistolet, qui toujours précèdent la menace. Le Corse est naturellement grave et silencieux. Le soir, quelques figures paraissent pour jouir de la fraîcheur, mais les promeneurs du Cours sont presque tous des étrangers. Les insulaires restent devant leurs portes ; chacun semble aux aguets comme un faucon sur son nid.

CHAPITRE IV

Après avoir visité la maison où Napoléon est né, après s'être procuré par des moyens plus ou moins catholiques un peu du papier de la tenture, Miss Lydia, deux jours après être débarquée en Corse, se sentit saisie d'une tristesse profonde, comme il doit arriver à tout étranger qui se trouve dans un pays dont les habitudes insociables semblent le condamner à un isolement complet. Elle regretta son coup de tête ; mais partir sur-le-champ c'eût été compromettre sa réputation de voyageuse intrépide ; Miss Lydia se résigna donc à prendre patience et à tuer le temps de son mieux. Dans cette généreuse résolution, elle prépara crayons et couleurs, esquissa des vues du golfe, et fit le portrait d'un paysan basané, qui vendait des melons, comme un maraîcher du continent, mais qui avait une barbe blanche et l'air du plus féroce coquin qui se pût voir. Tout cela ne suffisant point à l'amuser, elle résolut de faire tourner la tête au descendant des caporaux, et la chose n'était pas difficile, car, loin de se presser pour revoir son village, Orso semblait se plaire fort à Ajaccio, bien qu'il n'y vît personne. D'ailleurs Miss Lydia s'était proposé une noble tâche, celle de civiliser cet ours des montagnes, et de le faire renoncer aux sinistres desseins qui le ramenaient dans son île. Depuis qu'elle avait pris la peine de l'étudier, elle s'était dit qu'il serait dommage de laisser ce jeune homme courir à sa perte, et que pour elle il serait glorieux de convertir un Corse.

Les journées pour nos voyageurs se passaient comme il suit : le matin, le colonel et Orso allaient à la chasse ; Miss Lydia dessinait ou écrivait à ses amies, afin de pouvoir dater ses lettres d'Ajaccio. Vers six heures, les hommes revenaient chargés de gibier ; on dînait, Miss Lydia chantait, le colonel s'endormait, et les jeunes gens demeuraient fort tard à causer.

Je ne sais quelle formalité de passeport avait obligé le colonel Nevil à faire une visite au préfet ; celui-ci, qui s'ennuyait fort, ainsi que la plupart de ses collègues, avait été ravi d'apprendre l'arrivée d'un Anglais, riche, homme du monde et père d'une jolie fille ; aussi il l'avait parfaitement reçu et accablé d'offres de services ; de plus, fort peu de jours après, il vint lui rendre sa visite. Le colonel, qui venait de sortir de table, était confortablement étendu sur le sofa, tout près de s'endormir ; sa fille chantait devant un piano délabré ; Orso tournait les feuillets de son cahier de musique, et regardait les épaules et les cheveux blonds de la virtuose. On annonça M. le préfet ; le piano se tut, le colonel se leva, se frotta les yeux, et présenta le préfet à sa fille :

« Je ne vous présente pas M. della Rebbia ? dit-il, car vous le connaissez sans doute ?

– Monsieur est le fils du colonel della Rebbia ? demanda le préfet d'un air légèrement embarrassé.

– Oui, monsieur, répondit Orso.

– J'ai eu l'honneur de connaître monsieur votre père. »

Les lieux communs de conversation s'épuisèrent bientôt. Malgré lui, le colonel bâillait assez fréquemment ; en sa qualité de libéral, Orso ne voulait point parler à un satellite du pouvoir ; Miss Lydia soutenait seule la conversation. De son côté, le préfet ne la laissait pas languir, et il était évident qu'il avait un vif plaisir à parler de Paris et du monde à une femme qui connaissait toutes les notabilités de la société européenne. De temps en temps, et tout en parlant, il observait Orso avec une curiosité singulière.

« C'est sur le continent que vous avez connu M. della Rebbia ? » demanda-t-il à Miss Lydia.

Miss Lydia répondit avec quelque embarras qu'elle avait fait sa connaissance sur le navire qui les avait amenés en Corse.

« C'est un jeune homme très comme il faut, dit le préfet à mi-voix. Et vous a-t-il dit, continua-t-il encore plus bas, dans quelle intention il revient en Corse ? »

Miss Lydia prit son air majestueux :

Le serment de vendetta

« Je ne le lui ai point demandé, dit-elle ; vous pouvez l'interroger. »

Le préfet garda le silence ; mais, un moment après, entendant Orso adresser au colonel quelques mots en anglais :

« Vous avez beaucoup voyagé, monsieur, dit-il, à ce qu'il paraît. Vous devez avoir oublié la Corse... et ses coutumes.

– Il est vrai, j'étais bien jeune quand je l'ai quittée.

– Vous appartenez toujours à l'armée ?

– Je suis en demi-solde, monsieur.

– Vous avez été trop longtemps dans l'armée française, pour ne pas devenir tout à fait Français, je n'en doute pas monsieur. »

Il prononça ces derniers mots avec une emphase marquée.

Ce n'est pas flatter prodigieusement les Corses, que leur rappeler qu'ils appartiennent à la grande nation. Ils veulent être un peuple à part, et cette prétention, ils la justifient assez bien pour qu'on la leur accorde. Orso, un peu piqué, répliqua :

« Pensez-vous, monsieur le préfet, qu'un Corse, pour être homme d'honneur, ait besoin de servir dans l'armée française ?

– Non, certes, dit le préfet, ce n'est nullement ma pensée : je parle seulement de certaines *coutumes* de ce pays-ci, dont quelques-unes ne sont pas telles qu'un administrateur voudrait les voir. »

Il appuya sur ce mot *coutumes*, et prit l'expression la plus grave que sa figure comportait. Bientôt après, il se leva et sortit, emportant la promesse que Miss Lydia irait voir sa femme à la préfecture.

Quand il fut parti :

« Il fallait, dit Miss Lydia, que j'allasse en Corse pour apprendre ce que c'est qu'un préfet. Celui-ci me paraît assez aimable.

– Pour moi, dit Orso, je n'en saurais dire autant, et je le trouve bien singulier avec son air emphatique et mystérieux. »

Le colonel était plus qu'assoupi ; Miss Lydia jeta un coup d'œil de son côté, et baissant la voix :

« Et moi, je trouve, dit-elle, qu'il n'est pas si mystérieux que vous le prétendez, car je crois l'avoir compris.

– Vous êtes, assurément, bien perspicace, Miss Nevil ; et, si vous voyez quelque esprit dans ce qu'il vient de dire, il faut assurément que vous l'y ayez mis.

– C'est une phrase du marquis de Mascarille, monsieur della Rebbia, je crois ; mais..., voulez-vous que je vous donne une preuve de ma pénétration ? Je suis un peu sorcière, et je sais ce que pensent les gens que j'ai vus deux fois.

– Mon Dieu, vous m'effrayez. Si vous saviez lire dans ma pensée, je ne sais si je devrais en être content ou affligé...

– Monsieur della Rebbia, continua Miss Lydia en rougissant, nous ne nous connaissons que depuis quelques jours ; mais en mer, et dans les pays barbares, – vous m'excuserez, je l'espère... – dans les pays barbares on devient ami plus vite que dans le monde... Ainsi ne vous étonnez pas si je vous parle en amie de choses un peu bien intimes, et dont peut-être un étranger ne devrait pas se mêler.

– Oh ! ne dites pas ce mot-là, Miss Nevil ; l'autre me plaisait bien mieux.

– Eh bien, monsieur, je dois vous dire que, sans avoir cherché à savoir vos secrets, je me trouve les avoir appris en partie, et il y en a qui m'affligent. Je sais, monsieur, le malheur qui a frappé votre famille ; on m'a beaucoup parlé du caractère vindicatif de vos compatriotes et de leur manière de se venger... N'est-ce pas à cela que le préfet faisait allusion ?

– Miss Lydia peut-elle penser !... » Et Orso devint pâle comme la mort.

« Non, monsieur della Rebbia, dit-elle en l'interrompant ; je sais que vous êtes un gentleman plein d'honneur. Vous m'avez dit vous-même qu'il n'y avait plus dans votre pays que les gens du peuple qui connussent la *vendette*... qu'il vous plaît d'appeler une forme de duel...

– Me croiriez-vous donc capable de devenir jamais un assassin ?

– Puisque je vous parle de cela, monsieur Orso, vous devez bien voir que je ne doute pas de vous, et si je vous ai parlé, poursuivit-elle en baissant les yeux, c'est que j'ai compris que de retour dans votre pays, entouré peut-être de préjugés barbares, vous seriez bien aise de savoir qu'il y a quelqu'un qui vous estime pour votre courage à leur résister. – Allons, dit-elle en se levant, ne parlons plus de ces vilaines choses-là : elles me font mal à la tête et d'ailleurs

il est bien tard. Vous ne n'en voulez pas ? Bonsoir,
à l'anglaise. » Et elle lui tendit la main.

Orso la pressa d'un air grave et pénétré.

« Mademoiselle, dit-il, savez-vous qu'il y a des
moments où l'instinct du pays se réveille en moi ?
Quelquefois, lorsque je songe à mon pauvre père...
alors d'affreuses idées m'obsèdent. Grâce à vous, j'en
suis à jamais délivré. Merci, merci ! »

Il allait poursuivre ; mais Miss Lydia fit tomber une
cuiller à thé, et le bruit réveilla le colonel.

« Della Rebbia, demain à cinq heures en chasse !
Soyez exact.

– Oui, mon colonel. »

CHAPITRE V

Le lendemain, un peu avant le retour des chasseurs,
Miss Nevil, revenant d'une promenade au bord de
la mer, regagnait l'auberge avec sa femme de
chambre, lorsqu'elle remarqua une jeune femme
vêtue de noir, montée sur un cheval de petite taille,
mais vigoureux, qui entrait dans la ville. Elle était
suivie d'une espèce de paysan, à cheval aussi, en veste
de drap brun trouée aux coudes, une gourde en
bandoulière, un pistolet pendant à la ceinture ; à la
main, un fusil, dont la crosse reposait dans une poche
de cuir attachée à l'arçon de la selle ; bref, en
costume complet de brigand de mélodrame ou de

bourgeois corse en voyage. La beauté remarquable de la femme attira d'abord l'attention de Miss Nevil. Elle paraissait avoir une vingtaine d'années. Elle était grande, blanche, les yeux bleu foncé, la bouche rose, les dents comme de l'émail. Dans son expression on lisait à la fois l'orgueil, l'inquiétude et la tristesse. Sur la tête, elle portait ce voile de soie noire nommé *mezzaro*, que les Génois ont introduit en Corse, et qui sied si bien aux femmes. De longues nattes de cheveux châtains lui formaient comme un turban autour de la tête. Son costume était propre, mais de la plus grand simplicité.

Miss Nevil eut tout le temps de la considérer, car la dame au *mezzaro* s'était arrêtée dans la rue à questionner quelqu'un avec beaucoup d'intérêt, comme il semblait à l'expression de ses yeux ; puis sur la réponse qui lui fut faite, elle donna un coup de houssine à sa monture, et, prenant le grand trot, ne s'arrêta qu'à la porte de l'hôtel où logeaient Sir Thomas Nevil et Orso. Là, après avoir échangé quelques mots avec l'hôte, la jeune femme sauta lestement à bas de son cheval et s'assit sur un banc de pierre à côté de la porte d'entrée, tandis que son écuyer conduisait les chevaux à l'écurie. Miss Lydia passa avec son costume parisien devant l'étrangère sans qu'elle levât les yeux. Un quart d'heure après, ouvrant sa fenêtre, elle vit encore la dame au *mezzaro* assise à la même place et dans la même attitude. Bientôt parurent le colonel et Orso, revenant de la chasse. Alors l'hôte dit quelques mots à la demoiselle en deuil et lui désigna du doigt le jeune della Rebbia.

"Sur la tête, elle portait ce voile de soie noire nommé **mezzaro** *(...) et qui sied si bien aux femmes." (Coiffures de la région d'Ajaccio au XIXᵉ siècle.)*

Celle-ci rougit, se leva avec vivacité, fit quelques pas en avant, puis s'arrêta immobile et comme interdite. Orso était tout près d'elle, la considérant avec curiosité.

« Vous êtes, dit-elle d'une voix émue, Orso Antonio della Rebbia ? Moi, je suis Colomba.

– Colomba ! » s'écria Orso.

Et, la prenant dans ses bras, il l'embrassa tendrement, ce qui étonna un peu le colonel et sa fille ; car en Angleterre on ne s'embrasse pas dans la rue.

« Mon frère, dit Colomba ; vous me pardonnerez si je suis venue sans votre ordre ; mais j'ai appris par nos amis que vous étiez arrrivé, et c'était pour moi une si grande consolation de vous voir... » .

Orso l'embrassa encore ; puis, se tournant vers le colonel :

« C'est ma sœur, dit-il, que je n'aurais jamais reconnue si elle ne s'était nommée. – Colomba, le colonel Sir Thomas Nevil. – Colonel, vous voudrez bien m'excuser, mais je ne pourrai avoir l'honneur de dîner avec vous aujourd'hui... Ma sœur...

– Et ! où diable voulez-vous dîner, mon cher ? s'écria le colonel ; vous savez bien qu'il n'y a qu'un dîner dans cette maudite auberge, et il est pour nous. Mademoiselle fera grand plaisir à ma fille de se joindre à nous. »

Colomba regarda son frère, qui ne se fit pas trop prier, et tous ensemble entrèrent dans la plus grande pièce de l'auberge, qui servait au colonel de salon et de salle à manger. Mlle della Rebbia, présentée à Miss Nevil, lui fit une profonde révérence, mais ne dit pas une parole. On voyait qu'elle était très effarouchée et que, pour la première fois de sa vie peut-être, elle se trouvait en présence d'étrangers gens du monde. Cependant dans ses manières il n'y avait rien qui sentît la province. Chez elle l'étrangeté sauvait la gaucherie. Elle plut à Miss Nevil par cela même ; et comme il n'y avait pas de chambre disponible dans l'hôtel que le colonel et sa suite avaient envahi, Miss Lydia poussa la condescendance ou la curiosité jusqu'à offrir à Mlle della Rebbia de lui faire dresser un lit dans sa propre chambre.

Colomba balbutia quelques mots de remerciement et s'empressa de suivre la femme de chambre de Miss Nevil pour faire à sa toilette les petits arrangements que rend nécessaires un voyage à cheval par la poussière et le soleil.

En rentrant dans le salon, elle s'arrêta devant les fusils du colonel, que les chasseurs venaient de déposer dans un coin.

« Les belles armes ! dit-elle ; sont-elles à vous, mon frère ?

– Non, ce sont des fusils anglais au colonel. Ils sont aussi bons qu'ils sont beaux.

– Je voudrais bien, dit Colomba, que vous en eussiez un semblable.

– Il y en a certainement un dans ces trois-là qui appartient à della Rebbia, s'écria le colonel. Il s'en sert trop bien. Aujourd'hui quatorze coups de fusil, quatorze pièces ! »

Aussitôt s'établit un combat de générosité, dans lequel Orso fut vaincu, à la grande satisfaction de sa sœur, comme il était facile de s'en apercevoir à l'expression de joie enfantine qui brilla tout d'un coup sur son visage, tout à l'heure si sérieux.

« Choisissez, mon cher », disait le colonel.

Orso refusait.

« Eh bien, mademoiselle votre sœur choisira pour vous. »

Colomba ne se le fit pas dire deux fois : elle prit le moins orné des fusils, mais c'était un excellent Manton de gros calibre.

« Celui-ci, dit-elle, doit bien porter la balle. »

Son frère s'embarrassait dans ses remerciements, lorsque le dîner parut fort à propos pour le tirer d'affaire. Miss Lydia fut charmée de voir que Colomba, qui avait fait quelque résistance pour se mettre à table, et qui n'avait cédé que sur un regard de son frère, faisait en bonne catholique le signe de la croix avant de manger.

« Bon, se dit-elle, voilà qui est primitif. »

Et elle se promit de faire plus d'une observation intéressante sur ce jeune représentant des vieilles mœurs de la Corse. Pour Orso, il était évidemment un peu mal à son aise, par la crainte sans doute que sa sœur ne dît ou ne fît quelque chose qui sentît trop son village. Mais Colomba l'observait sans cesse et réglait tous ses mouvements sur ceux de son frère. Quelquefois elle le considérait fixement avec une étrange expression de tristesse ; et alors si les yeux d'Orso rencontraient les siens, il était le premier à détourner ses regards, comme s'il eût voulu se soustraire à une question que sa sœur lui adressait mentalement et qu'il comprenait trop bien. On parlait français car le colonel s'exprimait fort mal en italien. Colomba entendait le français, et prononçait même assez bien le peu de mots qu'elle était forcée d'échanger avec ses hôtes.

Après le dîner, le colonel, qui avait remarqué l'espèce de contrainte qui régnait entre le frère et la sœur, demanda avec sa franchise ordinaire à Orso s'il ne désirait point causer seul avec Mlle Colomba, offrant dans ce cas de passer avec sa fille dans la pièce voisine. Mais Orso se hâta de le remercier et de dire qu'ils auraient bien le temps de causer à Pietranera. C'était le nom du village où il devait faire sa résidence.

Le colonel prit donc sa place accoutumée sur le sofa, et Miss Nevil, après avoir essayé plusieurs sujets de conversation, désespérant de faire parler la belle Colomba, pria Orso de lui dire un chant du Dante : c'était son poète favori. Orso choisit le chant de l'Enfer où se trouve l'épisode de Francesca de Rimini, et se mit à lire, accentuant de son mieux ces sublimes tercets, qui expriment si bien le danger de lire à deux un livre d'amour. A mesure qu'il lisait, Colomba se rapprochait de la table, relevait la tête, qu'elle avait tenue baissée ; ses prunelles dilatées brillaient d'un feu extraordinaire : elle rougissait et pâlissait tour à tour, elle s'agitait convulsivement sur sa chaise. Admirable organisation italienne, qui, pour comprendre la poésie, n'a pas besoin qu'un pédant lui en démontre les beautés !

Quand la lecture fut terminée :

« Que cela est beau ! s'écria-t-elle. Qui a fait cela, mon frère ? »

Orso fut un peu déconcerté, et Miss Lydia répondit en souriant que c'était un poète florentin mort depuis plusieurs siècles.

« Je te ferai lire le Dante, dit Orso, quand nous serons à Pietranera.

– Mon Dieu, que cela est beau ! » répétait Colomba : et elle dit trois ou quatre tercets qu'elle avait retenus, d'abord à voix basse ; puis, s'animant, elle les déclama tout haut avec plus d'expression que son frère n'en avait mis à les lire.

Miss Lydia très étonnée :

« Vous paraissez aimer beaucoup la poésie, dit-elle. Que je vous envie le bonheur que vous aurez à lire le Dante comme un livre nouveau.

– Vous voyez, Miss Nevil, disait Orso, quel pouvoir ont les vers du Dante, pour émouvoir ainsi une petite sauvagesse qui ne sait que son *Pater*... Mais je me trompe ; je me rappelle que Colomba est du métier. Tout enfant elle s'escrimait à faire des vers, et mon père m'écrivait qu'elle était la plus grande *voceratrice* de Pietranera et de deux lieues à la ronde. »

Colomba jeta un coup d'œil suppliant à son frère. Miss Nevil avait ouï parler des improvisations corses et mourait d'envie d'en entendre une. Ainsi elle s'empressa de prier Colomba de lui donner un échantillon de son talent. Orso s'interposa alors, fort contrarié de s'être si bien rappelé les dispositions poétiques de sa sœur. Il eut beau jurer que rien n'était plus plat qu'une *ballata* corse, protester que

réciter des vers corses après ceux du Dante, c'était
trahir son pays, il ne fit qu'irriter le caprice de Miss
Nevil, et se vit obligé à la fin de dire à sa sœur :

« Eh bien, improvise quelque chose, mais que cela
soit court ! »

Colomba poussa un soupir, regarda attentivement
pendant une minute le tapis de la table, puis les
poutres du plafond ; enfin, mettant la main sur ses
yeux comme ces oiseaux qui se rassurent et croient
n'être point vus quand ils ne voient point eux-
mêmes, chanta, ou plutôt déclama d'une voix mal
assurée la *serenata* qu'on va lire :

LA JEUNE FILLE ET LA PALOMBE

Dans la vallée, bien loin derrière les montagnes,
– le soleil n'y vient qu'une heure tous les jours ; – il
y a dans la vallée une maison sombre. – et l'herbe
y croît sur le seuil. – Portes, fenêtres sont toujours
fermées. – Nulle fumée ne s'échappe du toit. – Mais
à midi, lorsque vient le soleil, – une fenêtre s'ouvre
alors, – et l'orpheline s'assied, filant à son rouet :
– elle file et chante en travaillant – un chant de
tristesse ; – mais nul autre chant ne répond au sien.
– Un jour, un jour de printemps, – une palombe se
posa sur un arbre voisin, – et entendit le chant de
la jeune fille. – Jeune fille, dit-elle, tu ne pleures pas
seule – un cruel épervier m'a ravi ma compagne.
– Palombe, montre-moi l'épervier ravisseur ; – fût-il
aussi haut que les nuages, – je l'aurai bientôt abattu

en terre. – Mais moi, pauvre fille, qui me rendra mon frère, – mon frère maintenant en lointain pays ? – Jeune fille, dis-moi où est ton frère, – et mes ailes me porteront près de lui.

« Voilà une palombe bien élevée ! s'écria Orso en embrassant sa sœur avec une émotion qui contrastait avec le ton de plaisanterie qu'il affectait.

– Votre chanson est charmante, dit Miss Lydia. Je veux que vous me l'écriviez dans mon album. Je la traduirai en anglais et je la ferai mettre en musique. »

Le brave colonel, qui n'avait pas compris un mot, joignit ses compliments à ceux de sa fille. Puis il ajouta :

« Cette palombe dont vous parlez, mademoiselle, c'est cet oiseau que nous avons mangé aujourd'hui à la crapaudine ? »

Miss Nevil apporta son album et ne fut pas peu surprise de voir l'improvisatrice écrire sa chanson en ménageant le papier d'une façon singulière. Au lieu d'être en vedette, les vers se suivaient sur la même ligne, tant que la largeur de la feuille le permettait, en sorte qu'ils ne convenaient plus à la définition connue des compositions poétiques : « De petites lignes, d'inégale longueur, avec une marge de chaque côté. » Il y avait bien encore quelques observations à faire sur l'orthographe un peu capricieuse de Mlle Colomba, qui, plus d'une fois, fit sourire Miss Nevil, tandis que la vanité fraternelle d'Orso était au supplice.

L'heure de dormir étant arrivée, les deux jeunes

filles se retirèrent dans leur chambre. Là, tandis que Miss Lydia détachait collier, boucles, bracelets, elle observa sa compagne qui retirait de sa robe quelque chose de long comme un busc, mais de forme bien différente pourtant. Colomba mit cela avec soin et presque furtivement sous son mezzaro déposé sur une table ; puis elle s'agenouilla et fit dévotement sa prière. Deux minutes après, elle était dans son lit. Très curieuse de son naturel et lente comme une Anglaise à se déshabiller, Miss Lydia s'approcha de la table, et, feignant de chercher une épingle, souleva le mezzaro et aperçut un stylet assez long, curieusement monté en nacre et en argent ; le travail en était remarquable, et c'était une arme ancienne et de grand prix pour un amateur.

« Est-ce l'usage ici, dit Miss Nevil en souriant, que les demoiselles portent ce petit instrument dans leur corset ?

– Il le faut bien, répondit Colomba en soupirant. Il y a tant de méchantes gens !

– Et auriez-vous vraiment le courage d'en donner un coup comme cela ? »

Et Miss Nevil, le stylet à la main, faisait le geste de frapper, comme on frappe au théâtre, de haut en bas.

« Oui, si cela était nécessaire, dit Colomba de sa voix douce et musicale, pour me défendre ou défendre mes amis... Mais ce n'est pas comme cela qu'il faut le tenir ; vous pourriez vous blesser, si la personne que vous voulez frapper se retirait. » Et se levant sur son séant : « Tenez, c'est ainsi, en remontant le coup. Comme cela il est mortel, dit-on. Heureux les gens qui n'ont pas besoin de telles armes ! »

Elle soupira, abandonna sa tête sur l'oreiller, ferma les yeux. On n'aurait pu voir une tête plus belle, plus noble, plus virginale. Phidias, pour sculpter sa Minerve, n'aurait pas désiré un autre modèle.

CHAPITRE VI

C'est pour me conformer au précepte d'Horace que je me suis lancé d'abord *in medias res* [1]. Maintenant que tout dort, et la belle Colomba, et le colonel, et sa fille, je saisirai ce moment pour instruire mon lecteur de certaines particularités qu'il ne doit pas ignorer, s'il veut pénétrer davantage dans cette véridique histoire. Il sait déjà que le colonel della Rebbia, père d'Orso, est mort assassiné ; or on n'est pas assassiné en Corse, comme on l'est en France, par le premier échappé des galères qui ne trouve pas de meilleur moyen pour vous voler votre argenterie : on est assassiné par ses ennemis ; mais le motif pour lequel on a des ennemis, il est souvent fort difficile de le dire. Bien des familles se haïssent par vieille habitude, et la tradition de la cause originelle de leur haine s'est perdue complètement.

1. « *In medias res* (Horace, *Art poétique* v. 148) : Dans le vif du sujet ; en pleine action ; sans préambule.

La famille à laquelle appartenait le colonel della Rebbia haïssait plusieurs autres familles, mais singulièrement celles des Barricini ; quelques-uns disaient que, dans le XVIᵉ siècle, un della Rebbia avait séduit une Barricini, et avait été poignardé ensuite par un parent de la demoiselle outragée. A la vérité, d'autres racontaient l'affaire différemment, prétendant que c'était une della Rebbia qui avait été séduite, et un Barricini poignardé. Tant il y a que, pour me servir d'une expression consacrée, il y avait du sang entre les deux maisons. Toutefois, contre l'usage, ce meurtre n'en avait pas produit d'autres ; c'est que les della Rebbia et les Barricini avaient été également persécutés par le gouvernement génois, et les jeunes gens s'étant expatriés, les deux familles furent privées, pendant plusieurs générations, de leurs représentants énergiques. A la fin du siècle dernier, un della Rebbia, officier au service de Naples, se trouvant dans un tripot, eut une querelle avec des militaires qui, entre autres injures, l'appelèrent chevrier corse ; il mit l'épée à la main ; mais, seul contre trois il eût mal passé son temps, si un étranger, qui jouait dans le même lieu, ne se fût écrié : « Je suis Corse aussi ! » et n'eût pris sa défense. Cet étranger était un Barricini, qui d'ailleurs ne connaissait pas son compatriote. Lorsqu'on s'expliqua, de part et d'autre, ce furent de grandes politesses et des serments d'amitié éternelle ; car, sur le continent, les Corses se lient facilement ; c'est tout le contraire dans leur île. On le vit bien dans cette circonstance : della Rebbia et Barricini furent amis intimes tant qu'ils demeurèrent en Italie ; mais de retour en Corse, ils ne se virent plus que rarement, bien qu'habitant tous les deux le même village, et quand ils moururent, on disait qu'il y avait bien cinq ou six ans qu'ils ne s'étaient parlé. Leurs fils vécurent de même *en étiquette,* comme on dit dans l'île. L'un, Ghilfuccio, le père d'Orso, fut militaire ; l'autre, Giudice Barricini, fut avocat. Devenus l'un et l'autre chefs de famille, et séparés par leur profession, ils n'eurent presque aucune occasion de se voir ou d'entendre parler l'un de l'autre.

Cependant, un jour, vers 1809, Giudice lisant à Bastia, dans un journal, que le capitaine Ghilfuccio venait d'être décoré, dit, devant témoins, qu'il n'en était pas surpris, attendu que le général *** protégeait sa famille. Ce mot fut rapporté à Ghilfuccio à Vienne, lequel dit à un compatriote qu'à son retour en Corse il trouverait Giudice bien riche, parce qu'il tirait plus d'argent de ses causes perdues que de celles qu'il gagnait. On n'a jamais su s'il insinuait par là que l'avocat trahissait ses clients, ou s'il se bornait à émettre cette vérité triviale, qu'une mauvaise affaire rapporte plus à un homme de loi qu'une bonne cause. Quoi qu'il en soit, l'avocat Barricini eut connaissance de l'épigramme et ne l'oublia pas. En 1812, il demandait à être nommé maire de sa commune et avait tout espoir de le devenir, lorsque le général *** écrivit au préfet pour lui recommander un parent de la femme de Ghilfuccio. Le préfet s'empressa de se conformer aux désirs du général, et Barricini ne douta point qu'il ne dût sa déconvenue aux intrigues de Ghilfuccio. Après la chute de l'empereur, en 1814, le protégé du général fut dénoncé comme bonapartiste, et remplacé par Barricini. A son tour, ce dernier, fut destitué dans les Cent-Jours ; mais, après cette tempête, il reprit en grande pompe possession du cachet de la mairie et des registres de l'état civil.

De ce moment son étoile devint plus brillante que jamais. Le colonel della Rebbia, mis en demi-solde et retiré à Pietranera, eut à soutenir contre lui une guerre sourde de chicanes sans cesse renouvelées : tantôt il était assigné en réparation de dommages commis par son cheval dans les clôtures de M. le maire ; tantôt celui-ci, sous prétexte de restaurer le pavé de l'église, faisait enlever une dalle brisée qui portait les armes des della Rebbia, et qui couvrait le tombeau d'un membre de cette famille. Si les chèvres mangeaient les jeunes plants du colonel, les propriétaires de ces animaux trouvaient protection auprès du maire ; successivement, l'épicier qui tenait le bureau de poste de Pietranera, et le garde champêtre, vieux soldat mutilé, tous les deux clients des della Rebbia, furent destitués et remplacés par des créatures des Barricini.

La femme du colonel mourut exprimant le désir d'être enterrée au milieu d'un petit bois où elle aimait à se promener ; aussitôt le maire déclara qu'elle serait inhumée dans le cimetière de la commune, attendu qu'il n'avait pas reçu d'autorisation pour permettre une sépulture isolée. Le colonel furieux déclara qu'en attendant cette autorisation, sa femme serait enterrée au lieu qu'elle avait choisi, et il y fit creuser une fosse. De son côté, le maire en fit faire une dans le cimetière, et manda la gendarmerie, afin, disait-il, que force restât à la loi. Le jour de l'enterrement, les deux partis se trouvèrent en présence, et l'on put craindre un moment qu'un combat ne s'engageât pour la possession des restes de Mme della Rebbia. Une quarantaine de paysans bien armés, amenés par les parents de la défunte, obligèrent le curé, en sortant de l'église, à prendre le chemin du bois ; d'autre part, le maire avec ses deux fils, ses clients et les gendarmes se présenta pour faire opposition. Lorsqu'il parut, et somma le convoi de rétrograder, il fut accueilli par des huées et des menaces ; l'avantage du nombre était pour ses adversaires, et ils semblaient déterminés. A sa vue plusieurs fusils furent armés ; on dit même qu'un berger le coucha en joue ; mais le colonel releva le fusil en disant : « Que personne ne tire sans mon ordre ! » Le maire « craignait les coups naturellement », comme Panurge, et, refusant la bataille, il se retira avec son escorte : alors la procession funèbre se mit en marche, en ayant soin de prendre le plus long, afin de passer devant la mairie. En défilant, un idiot, qui s'était joint au cortège, s'avisa de crier *vive l'Empereur !* Deux ou trois voix lui répondirent, et les rebbianistes, s'animant de plus en plus, proposèrent de tuer un bœuf du maire, qui, d'aventure, leur barrait le chemin. Heureusement le colonel empêcha cette violence.

On pense bien qu'un procès-verbal fut dressé, et

que le maire fît au préfet un rapport de son style
le plus sublime, dans lequel il peignait les lois divines
et humaines foulées aux pieds, – la majesté de lui,
maire, celle du curé, méconnues et insultées, – le
colonel della Rebbia se mettant à la tête d'un
complot bonapartiste pour changer l'ordre de suc-
cessibilité au trône, et exciter les citoyens à s'armer
les uns contre les autres, crimes prévus par les
articles 86 et 91 du Code pénal.

L'exagération de cette plainte nuisit à son effet.
Le colonel écrivit au préfet, au procureur du roi :
un parent de sa femme était allié à un des députés
de l'île, un autre cousin du président de la cour
royale. Grâce à ces protections, le complot s'éva-
nouit, Mme della Rebbia resta dans le bois, et l'idiot
seul fut condamné à quinze jours de prison.

L'avocat Barricini, mal satisfait du résultat de cette
affaire, tourna ses batteries d'un autre côté. Il
exhuma un vieux titre, d'après lequel il entreprit de
contester au colonel la propriété d'un certain cours
d'eau qui faisait tourner un moulin. Un procès
s'engagea qui dura longtemps. Au bout d'une année,
la cour allait rendre son arrêt, et suivant toute
apparence en faveur du colonel, lorsque M. Barricini
déposa entre les mains du procureur du roi une lettre
signée par un certain Agostini, bandit célèbre, qui
le menaçait, lui maire, d'incendie et de mort s'il ne
se désistait de ses prétentions. On sait qu'en Corse
la protection des bandits est très recherchée, et que
pour obliger leurs amis ils interviennent fréquemment dans les querelles particulières. Le maire tirait

parti de cette lettre, lorsqu'un nouvel incident vint compliquer l'affaire. Le bandit Agostini écrivit au procureur du roi pour se plaindre qu'on eût contrefait son écriture, et jeté des doutes sur son caractère, en le faisant passer pour un homme qui trafiquait de son influence : « Si je découvre le faussaire, disait-il en terminant sa lettre, je le punirai exemplairement. »

Il était clair qu'Agostini n'avait point écrit la lettre menaçante au maire ; les della Rebbia en accusaient les Barricini et *vice versa*. De part et d'autre on éclatait en menaces, et la justice ne savait de quel côté trouver les coupables.

Sur ces entrefaites, le colonel Ghilfuccio fut assassiné. Voici les faits tels qu'ils furent établis en justice : le 2 août 18.., le jour tombant déjà, la femme Madeleine Pietri, qui portait du pain à Pietranera, entendit deux coups de feu très rapprochés, tirés, comme il lui semblait, dans un chemin creux menant au village, à environ cent cinquante pas de l'endroit où elle se trouvait. Presque aussitôt elle vit un homme qui courait, en se baissant, dans un sentier des vignes, et se dirigeait vers le village. Cet homme s'arrêta un instant et se retourna ; mais la distance empêcha la femme Pietri de distinguer ses traits, et d'ailleurs il avait à la bouche une feuille de vigne qui lui cachait presque tout le visage. Il fit de la main un signe à un camarade que le témoin ne vit pas, puis disparut dans les vignes.

La femme Pietri, ayant laissé son fardeau, monta le sentier en courant, et trouva le colonel della

Rebbia baigné dans son sang, percé de deux coups de feu, mais respirant encore. Près de lui était son fusil chargé et armé, comme s'il s'était mis en défense contre une personne qui l'attaquait en face au moment où une autre le frappait par-derrière. Il râlait et se débattait contre la mort, mais ne pouvait prononcer une parole, ce que les médecins expliquèrent par la nature de ses blessures qui avaient traversé le poumon. Le sang l'étouffait ; il coulait lentement et comme une mousse rouge. En vain la femme Pietri le souleva et lui adressa quelques questions. Elle voyait bien qu'il voulait parler, mais il ne pouvait se faire comprendre. Ayant remarqué qu'il essayait de porter la main à sa poche, elle s'empressa d'en retirer un petit portefeuille qu'elle lui présenta ouvert. Le blessé prit le crayon du portefeuille et chercha à écrire. De fait le témoin le vit former avec peine quelques caractères ; mais, ne sachant pas lire, elle ne put en comprendre le sens. Épuisé par cet effort, le colonel laissa le portefeuille dans la main de la femme Pietri, qu'il serra avec force en la regardant d'un air singulier, comme s'il voulait lui dire, ce sont les paroles du témoin. : « C'est important, c'est le nom de mon assassin ! »

La femme Pietri montait au village lorsqu'elle rencontra M. le maire Barricini avec son fils Vincentello. Alors il était presque nuit. Elle conta ce qu'elle avait vu. Le maire prit le portefeuille, et courut à la mairie ceindre son écharpe et appeler son secrétaire et la gendarmerie. Restée seule avec le jeune Vincentello, Madeleine Pietri lui proposa d'aller porter secours au colonel, dans le cas où il serait encore vivant ; mais Vincentello répondit que, s'il approchait d'un homme qui avait été l'ennemi acharné de sa famille, on ne manquerait pas de l'accuser de l'avoir tué. Peu après le maire arriva, trouva le colonel mort, fit enlever le cadavre, et dressa procès-verbal.

Malgré son trouble naturel dans cette occasion, M. Barricini s'était empressé de mettre sous les scellés le portefeuille du colonel, et de faire toutes les recherches en son pouvoir ; mais aucune n'amena de découverte importante.

Lorsque vint le juge d'instruction, on ouvrit le portefeuille, et sur une page souillée de sang on vit quelques lettres tracées par une main défaillante, bien lisibles pourtant. Il y avait écrit : *Agosti...*, et le juge ne douta pas que le colonel n'eût voulu désigner Agostini comme son assassin. Cependant Colomba della Rebbia, appelée par le juge, demanda à examiner le portefeuille. Après l'avoir longtemps feuilleté, elle étendit la main vers le maire et s'écria : « Voilà l'assassin ! » Alors, avec une précision et une clarté surprenantes dans le transport de douleur où elle était plongée, elle raconta que son père, ayant reçu peu de jours auparavant une lettre de son fils, l'avait brûlée, mais qu'avant de le faire, il avait écrit au crayon sur son portefeuille, l'adresse d'Orso, qui venait de changer de garnison. Or, cette adresse ne se trouvait plus dans le portefeuille, et Colomba concluait que la maire avait arraché le feuillet où elle était écrite, qui aurait été celui-là même sur

lequel son père avait tracé le nom du meurtrier ; et
à ce nom, le maire, au dire de Colomba, aurait
substitué celui d'Agostini. Le juge vit en effet qu'un
feuillet manquait au cahier de papier sur lequel le
nom était écrit ; mais bientôt il remarqua que des
feuillets manquaient également dans les autres
cahiers du même portefeuille, et des témoins
déclarèrent que le colonel avait l'habitude de
déchirer ainsi des pages de son portefeuille lorsqu'il
voulait allumer un cigare ; rien de plus probable donc
qu'il eût brûlé par mégarde l'adresse qu'il avait
copiée. En outre, on constata que le maire, après
avoir reçu le portefeuille de la femme Pietri, n'aurait
pu lire à cause de l'obscurité ; il fut prouvé qu'il ne
s'était pas arrêté un instant avant d'entrer à la mairie,
que le brigadier de gendarmerie l'y avait accompagné, l'avait vu allumer une lampe, mettre le portefeuille dans une enveloppe et la cacheter sous ses
yeux.

Lorsque le brigadier eut terminé sa déposition,
Colomba, hors d'elle-même, se jeta à ses genoux et
le supplia, par tout ce qu'il avait de plus sacré, de
déclarer s'il n'avait pas laissé le maire seul un instant.
Le brigadier, après quelque hésitation, visiblement
ému par l'exaltation de la jeune fille, avoua qu'il était
allé chercher dans une pièce voisine une feuille de
grand papier, mais qu'il n'était pas resté une minute,
et que le maire lui avait toujours parlé tandis qu'il
cherchait à tâtons ce papier dans un tiroir. Au reste,
il attestait qu'à son retour le portefeuille sanglant

était à la même place, sur la table où le maire l'avait jeté en entrant.

M. Barricini déposa avec le plus grand calme. Il excusait, disait-il, l'emportement de Mlle della Rebbia, et voulait bien condescendre à se justifier. Il prouva qu'il était resté toute la soirée au village ; que son fils Vincentello était avec lui devant la mairie au moment du crime ; enfin que son fils Orlanduccio, pris de la fièvre ce jour-là même, n'avait pas bougé de son lit. Il produisit tous les fusils de sa maison, dont aucun n'avait fait feu récemment. Il ajouta qu'à l'égard du portefeuille il en avait tout de suite compris l'importance ; qu'il l'avait mis sous le scellé et l'avait déposé entre les mains de son adjoint, prévoyant qu'en raison de son inimitié avec le colonel il pourrait être soupçonné. Enfin il rappela qu'Agostini avait menacé de mort celui qui avait écrit une lettre en son nom, et insinua que ce misérable, ayant probablement soupçonné le colonel, l'avait assassiné. Dans les mœurs des bandits, une pareille vengeance pour un motif analogue, n'est pas sans exemple.

Cinq jours après la mort du colonel della Rebbia, Agostini, surpris par un détachement de voltigeurs, fut tué, se battant en désespéré. On trouva sur lui une lettre de Colomba qui l'adjurait de déclarer s'il était ou non coupable du meurtre qu'on lui imputait. Le bandit n'ayant point fait de réponse, on en conclut assez généralement qu'il n'avait pas eu le courage de dire à une fille qu'il avait tué son père. Toutefois, les personnes qui prétendaient connaître bien le caractère d'Agostini, disait tout bas que, s'il eût tué le colonel, il s'en serait vanté. Un autre bandit, connu sous le nom de Brandolaccio, remit à Colomba une déclaration dans laquelle il attestait *sur l'honneur* l'innocence de son camarade ; mais la seule preuve qu'il alléguait, c'était qu'Agostini ne lui avait jamais dit qu'il soupçonnait le colonel.

Conclusion, les Barricini ne furent pas inquiétés ; le juge d'instruction combla le maire d'éloges et celui-ci couronna sa belle conduite en se désistant de toutes ses prétentions sur le ruisseau pour lequel il était en procès avec le colonel della Rebbia.

Colomba improvisa, suivant l'usage du pays, une *ballata* devant le cadavre de son père, en présence de ses amis assemblés. Elle y exhala toute sa haine contre les Barricini et les accusa formellement de l'assassinat, les menaçant aussi de la vengeance de son frère. C'était cette *ballata,* devenue très populaire, que le matelot chantait devant Miss Lydia. En apprenant la mort de son père, Orso, alors dans le Nord de la France, demanda un congé mais ne put l'obtenir. D'abord, sur une lettre de sa sœur, il avait cru les Barricini coupables, mais bientôt il reçut copie de toutes les pièces de l'instruction, et une lettre particulière du juge lui donna à peu près la conviction que le bandit Agostini était le seul coupable. Une fois tous les trois mois Colomba lui écrivait pour lui répéter ses soupçons qu'elle appelait des preuves. Malgré lui, ces accusations faisaient bouillonner son sang corse, et parfois il n'était pas éloigné de partager les préjugés de sa sœur.

« Colomba improvisa, suivant l'usage du pays, une ballata *devant le cadavre de son père.* »

Cependant, toutes les fois qu'il lui écrivait, il lui répétait que ses allégations n'avaient aucun fondement solide et ne méritaient aucune créance. Il lui défendait même, mais toujours en vain, de lui en parler davantage. Deux années se passèrent de la sorte, au bout desquelles il fut mis en demi-solde, et alors il pensa à revoir son pays, non point pour se venger sur des gens qu'il croyait innocents, mais pour marier sa sœur et vendre ses petites propriétés, si elles avaient assez de valeur pour lui permettre de vivre sur le continent.

CHAPITRE VII

Soit que l'arrivée de sa sœur eût rappelé à Orso avec plus de force le souvenir du toit paternel, soit qu'il souffrît un peu devant ses amis civilisés du costume et des manières sauvages de Colomba, il annonça dès le lendemain le projet de quitter Ajaccio et de retourner à Pietranera. Mais cependant il fit promettre au colonel de venir prendre un gîte dans son humble manoir, lorsqu'il se rendrait à Bastia, et en revanche il s'engagea à lui faire tirer daims, faisans, sangliers et le reste.

La veille de son départ, au lieu d'aller à la chasse, Orso proposa une promenade au bord du golfe. Donnant le bras à Miss Lydia, il pouvait causer en toute liberté, car Colomba était restée à la ville pour faire ses emplettes et le colonel les quittait à chaque instant pour tirer des goélands et des fous, à la grande surprise des passants qui ne comprenaient pas qu'on perdît sa poudre pour un pareil gibier.

Ils suivaient le chemin qui mène à la chapelle des Grecs d'où l'on a la plus belle vue de la baie ; mais ils n'y faisaient aucune attention.

« Miss Lydia... dit Orso après un silence assez long pour être devenu embarrassant ; franchement, que pensez-vous de ma sœur ?

– Elle me plaît beaucoup, répondit Miss Nevil. Plus que vous, ajouta-t-elle en souriant, car elle est vraiment Corse, et vous êtes un sauvage trop civilisé.

– Trop civilisé !... Et bien, malgré moi, je me sens redevenir sauvage depuis que j'ai mis le pied dans cette île. Mille affreuses pensées m'agitent, me tourmentent..., et j'avais besoin de causer un peu avec vous avant de m'enfoncer dans mon désert.

– Il faut avoir du courage, monsieur ; voyez la résignation de votre sœur, elle vous donne l'exemple.

– Ah ! détrompez-vous. Ne croyez pas à sa résignation. Elle ne m'a pas dit un seul mot encore, mais dans chacun de ses regards j'ai lu ce qu'elle attend de moi.

– Que veut-elle de vous enfin ?

– Oh ! rien..., seulement que j'essaie si le fusil de monsieur votre père est aussi bon pour l'homme que pour la perdrix.

– Quelle idée ! Et vous pouvez supposer cela !

quand vous venez d'avouer qu'elle ne vous a encore rien dit. Mais c'est affreux de votre part.

– Si elle ne pensait pas à la vengeance, elle m'aurait tout d'abord parlé de notre père ; elle n'en a rien fait. Elle aurait prononcé le nom de ceux qu'elle regarde... à tort, je le sais, comme ses meurtriers. Eh bien, non, pas un mot. C'est que, voyez-vous, nous autres Corses, nous sommes une race rusée. Ma sœur comprend qu'elle ne me tient pas complètement en sa puissance, et ne veut pas m'effrayer, lorsque je puis m'échapper encore. Une fois qu'elle m'aura conduit au bord du précipice, lorsque la tête me tournera, elle me poussera dans l'abîme. »

Alors Orso donna à Miss Nevil quelques détails sur la mort de son père, et rapporta les principales preuves qui se réunissaient pour lui faire regarder Agostini comme le meurtrier.

« Rien, ajouta-t-il, n'a pu convaincre Colomba. Je l'ai vu par sa dernière lettre. Elle a juré la mort des Barricini ; et... Miss Nevil, voyez quelle confiance j'ai en vous... peut-être ne seraient-ils plus de ce monde, si, par un de ces préjugés qu'excuse son éducation sauvage, elle ne se persuadait que l'exécution de la vengeance m'appartient en ma qualité de chef de famille, et que mon honneur y est engagé.

– En vérité, monsieur della Rebbia, dit Miss Nevil, vous calomniez votre sœur.

– Non, vous l'avez dit vous-même... elle est Corse..., elle pense ce qu'ils pensent tous. Savez-vous pourquoi j'étais si triste hier ?

– Non, mais depuis quelque temps vous êtes sujet à ces accès d'humeur noire... Vous étiez plus aimable aux premiers jours de notre connaissance.

– Hier, au contraire, j'étais plus gai, plus heureux qu'à l'ordinaire. Je vous avais vue si bonne, si indulgente pour ma sœur !... Nous revenions, le colonel et moi, en bateau. Savez-vous ce que me dit un des bateliers dans son infernal patois : « Vous avez tué bien du gibier, Ors' Anton', mais vous trouverez Orlanduccio Barricini plus grand chasseur que vous. »

– Eh bien, quoi de si terrible dans ces paroles ? Avez-vous donc tant de prétentions à être un adroit chasseur ?

– Mais vous ne voyez pas que ce misérable disait que je n'aurais pas le courage de tuer Orlanduccio ?

– Savez-vous, monsieur della Rebbia, que vous me faites peur. Il paraît que l'air de votre île ne donne pas seulement la fièvre, mais qu'il rend fou. Heureusement que nous allons bientôt la quitter.

– Pas avant d'avoir été à Pietranera. Vous l'avez promis à ma sœur.

– Et si nous manquions à cette promesse, nous devrions sans doute nous attendre à quelque vengeance ?

– Vous rappelez-vous ce que nous contait l'autre jour monsieur votre père de ces Indiens qui menacent les gouverneurs de la Compagnie de se laisser mourir de faim s'ils ne font droit à leurs requêtes ?

– C'est-à-dire que vous vous laisseriez mourir de

faim ? J'en doute. Vous resteriez un jour sans manger, et puis Mlle Colomba vous apporterait un *bruccio* [1] si appétissant que vous renonceriez à votre projet.

– Vous êtes cruelle dans vos railleries, Miss Nevil ; vous devriez me ménager. Voyez, je suis seul ici. Je n'avais que vous pour m'empêcher de devenir fou, comme vous dites ; vous étiez mon ange gardien, et maintenant...

– Maintenant, dit Miss Lydia d'un ton sérieux, vous avez, pour soutenir cette raison si facile à ébranler, votre honneur d'homme et de militaire, et..., poursuivit-elle en se tournant pour cueillir une fleur, si cela peut quelque chose pour vous, le souvenir de votre ange gardien.

– Ah ! Miss Nevil, si je pouvais penser que vous prenez réellement quelque intérêt...

– Écoutez, monsieur della Rebbia, dit Miss Nevil un peu émue, puisque vous êtes un enfant, je vous traiterai en enfant. Lorsque j'étais petite fille, ma mère me donna un beau collier que je désirais ardemment ; mais elle me dit : « Chaque fois que tu mettras ce collier, souviens-toi que tu ne sais pas encore le français. » Le collier perdit à mes yeux un peu de son mérite. Il était devenu pour moi comme un remords ; mais je le portai, et je sus le français. Voyez-vous cette bague ? c'est un scarabée égyptien trouvé, s'il vous plaît, dans une pyramide.

1. Espèce de fromage à la crème cuit. C'est un mets national en Corse.

Cette figure bizarre, que vous prenez peut-être pour une bouteille, cela veut dire *la vie humaine*. Il y a dans mon pays des gens qui trouveraient l'hiéroglyphe très bien approprié. Celui-ci, qui vient après, c'est un bouclier avec un bras tenant une lance : cela veut dire *combat, bataille*. Donc la réunion des deux caractères forme cette devise, que je trouve assez belle : *La vie est un combat*. Ne vous avisez pas de croire que je traduis les hiéroglyphes couramment ; c'est un savant en *us* qui m'a expliqué ceux-là. Tenez, je vous donne mon scarabée. Quand vous aurez quelque mauvaise pensée corse, regardez mon talisman et dites-vous qu'il faut sortir vainqueur de la bataille que nous livrent les mauvaises passions.
– Mais, en vérité, je ne prêche pas mal.

– Je penserai à vous, Miss Nevil, et je me dirai...

– Dites-vous que vous avez une amie qui serait désolée... de... vous savoir pendu. Cela ferait d'ailleurs trop de peine à messieurs les caporaux vos ancêtres. »

A ces mots, elle quitta en riant le bras d'Orso, et, courant vers son père :

« Papa, dit-elle, laissez là ces pauvres oiseaux, et venez avec nous faire de la poésie dans la grotte de Napoléon. »

CHAPITRE VIII

Il y a toujours quelque chose de solennel dans un départ, même quand on se quitte pour peu de temps. Orso devait partir avec sa sœur de très bon matin, et la veille au soir il avait pris congé de Miss Lydia, car il n'espérait pas qu'en sa faveur elle fît exception à ses habitudes de paresse. Leurs adieux avaient été froids et graves. Depuis leur conversation au bord de la mer, Miss Lydia craignait d'avoir montré à Orso un intérêt peut-être trop vif, et Orso, de son côté, avait sur le cœur ses railleries et surtout son ton de légèreté. Un moment il avait cru démêler dans les manières de la jeune Anglaise un sentiment d'affection naissante ; maintenant, déconcerté par ses plaisanteries, il se disait qu'il n'était à ses yeux qu'une simple connaissance, qui bientôt serait oubliée. Grande fut donc sa surprise lorsque le matin, assis à prendre du café avec le colonel, il vit entrer Miss Lydia suivie de sa sœur. Elle s'était levée à cinq heures, et, pour une Anglaise, pour Miss Nevil surtout, l'effort était assez grand pour qu'il en tirât quelque vanité.

« Je suis désolé que vous vous soyez dérangée si matin, dit Orso. C'est ma sœur sans doute qui vous aura réveillée malgré mes recommandations, et vous devez bien nous maudire. Vous me souhaitez déjà *pendu* peut-être ?

– Non, dit Miss Lydia fort bas et en italien, évidemment pour que son père ne l'entendît pas. Mais vous m'avez boudée hier pour mes innocentes plaisanteries, et je ne voulais pas vous laisser emporter un souvenir mauvais de votre servante. Quelles terribles gens vous êtes, vous autres Corses ! Adieu donc ; à bientôt, j'espère. »

Elle lui tendit la main.

Orso ne trouva qu'un soupir pour réponse. Colomba s'approcha de lui, le mena dans l'embrasure d'une fenêtre, et, en lui montrant quelque chose qu'elle tenait sous son *mezzaro,* lui parla un moment à voix basse.

« Ma sœur, dit Orso à Miss Nevil, veut vous faire un singulier cadeau, mademoiselle ; mais nous autres Corses, nous n'avons pas grand-chose à donner..., excepté notre affection..., que le temps n'efface pas. Ma sœur me dit que vous avez regardé avec curiosité ce stylet. C'est une antiquité dans la famille. Probablement il pendait autrefois à la ceinture d'un de ces caporaux à qui je dois l'honneur de votre connaissance. Colomba le croit si précieux qu'elle m'a demandé ma permission pour vous le donner, et moi je ne sais trop si je dois l'accorder, car j'ai peur que vous ne vous moquiez de nous.

– Ce stylet est charmant, dit Miss Lydia ; mais c'est une arme de famille ; je ne puis l'accepter.

– Ce n'est pas le stylet de mon père, s'écria vivement Colomba. Il a été donné à un des grands-parents de ma mère par le roi Théodore. Si mademoiselle l'accepte, elle nous fera bien plaisir.

– Voyez, Miss Lydia, dit Orso, ne dédaignez pas le stylet d'un roi. »

Pour un amateur, les reliques du roi Théodore sont infiniment plus précieuses que celles du plus puissant monarque. La tentation était forte, et Miss Lydia voyait déjà l'effet que produirait cette arme posée sur une table en laque dans son appartement de Saint-James' Place.

« Mais, dit-elle en prenant le stylet avec l'hésitation de quelqu'un qui veut accepter, et adressant le plus aimable de ses sourires à Colomba, chère mademoiselle Colomba..., je ne puis..., je n'oserais vous laisser ainsi partir désarmée.

– Mon frère est avec moi, dit Colomba d'un ton fier, et nous avons le bon fusil que votre père nous a donné. Orso, vous l'avez chargé à balle ? »

Miss Nevil garda le stylet, et Colomba, pour conjurer le danger qu'on court à *donner* des armes coupantes ou perçantes à ses amis, exigea un sou en paiement.

Il fallut partir enfin. Orso serra encore une fois la main de Miss Nevil ; Colomba l'embrassa, puis après vint offrir ses lèvres de rose au colonel, tout émerveillé de la politesse corse. De la fenêtre du salon, Miss Lydia vit le frère et la sœur monter à cheval. Les yeux de Colomba brillaient d'une joie maligne qu'elle n'y avait point encore remarquée. Cette grande et forte femme, fanatique de ses idées d'honneur barbare, l'orgueil sur le front, les lèvres courbées par un sourire sardonique, emmenant ce jeune homme armé comme pour une expédition sinistre, lui rappela les craintes d'Orso, et elle crut voir son mauvais génie l'entraînant à sa perte. Orso, déjà à cheval, leva la tête et l'aperçut. Soit qu'il eût deviné sa pensée, soit pour lui dire un dernier adieu, il prit l'anneau égyptien, qu'il avait suspendu à un cordon, et le porta à ses lèvres. Miss Lydia quitta la fenêtre en rougissant ; puis, s'y remettant presque aussitôt, elle vit les deux Corses s'éloigner rapidement au galop de leurs petits poneys, se dirigeant vers les montagnes. Une demi-heure après le colonel, au moyen de sa lunette, les lui montra longeant le fond du golfe, et elle vit qu'Orso tournait fréquemment la tête vers la ville. Il disparut enfin derrière les marécages remplacés aujourd'hui par une belle pépinière.

Miss Lydia, en se regardant dans la glace, se trouva pâle.

« Que doit penser de moi ce jeune homme ? dit-elle, et moi que pensé-je de lui ? et pourquoi y pensé-je ?... Une connaissance de voyage !... Que suis-je venue faire en Corse ?... Oh ! je ne l'aime point... Non, non ; d'ailleurs cela est impossible... Et Colomba... Moi la belle-sœur d'une vocératrice ! qui porte un grand stylet ! » Et elle s'aperçut qu'elle tenait à la main celui du roi Théodore. Elle le jeta sur sa toilette. « Colomba à Londres, dansant à Almack's !... Quel *lion* [1], grand Dieu, à montrer !...

1. A cette époque, on donnait ce nom en Angleterre aux personnes à la mode qui se faisaient remarquer par quelque chose d'extraordinaire.

C'est qu'elle ferait fureur peut-être... Il m'aime, j'en
suis sûre... C'est un héros de roman dont j'ai
interrompu la carrière aventureuse... Mais avait-il
réellement envie de venger son père à la corse ?...
C'était quelque chose·entre un Conrad et un dandy...
J'en ai fait un pur dandy, et un dandy qui a un tailleur
corse !... »

Elle se jeta sur son lit et voulut dormir, mais cela
lui fut impossible ; et je n'entreprendrai pas de
continuer son monologue, dans lequel elle se dit plus
de cent fois que M. della Rebbia n'avait été, n'était
et ne serait jamais rien pour elle.

CHAPITRE IX

Cependant Orso cheminait avec sa sœur. Le mouvement rapide de leurs chevaux les empêcha d'abord
de se parler ; mais, lorsque les montées trop rudes
les obligeaient d'aller au pas, ils échangeaient
quelques mots sur les amis qu'ils venaient de quitter.
Colomba parlait avec enthousiasme de la beauté de
Miss Nevil, de ses blonds cheveux, de ses gracieuses
manières. Puis elle demandait si le colonel était aussi
riche qu'il le paraissait, si Mlle Lydia était fille unique.

« Ce doit être un bon parti, disait-elle. Son père
a, comme il semble, beaucoup d'amitié pour vous... »

Et, comme Orso ne répondait rien, elle continuait :

« Notre famille a été riche autrefois, elle est encore

des plus considérées de l'île. Tous ces *signori* [1] sont
des bâtards. Il n'y a plus de noblesse que dans les
familles caporales, et vous savez, Orso, que vous
descendez des premiers caporaux de l'île. Vous savez
que notre famille est originaire d'au-delà des
monts [2], et ce sont les guerres civiles qui nous ont
obligés à passer de ce côté-ci. Si j'étais à votre place,
Orso, je n'hésiterais pas, je demanderais Miss Nevil
à son père.... (Orso levait les épaules.) De sa dot
j'achèterais les bois de la Falsetta et les vignes en
bas de chez nous ; je bâtirais une belle maison en
pierres de taille, et j'élèverais d'un étage la vieille
tour où Sambucuccio a tué tant de Maures au temps
du comte Henri le *bel Missere* [3].

– Colomba, tu es folle, répondait Orso en
galopant.

– Vous êtes homme, Ors' Anton', et vous savez
sans doute mieux qu'une femme ce que vous avez
à faire. Mais je voudrais bien savoir ce que cet Anglais

1. On appelle *signori* les descendants des seigneurs féodaux
de la Corse. Entre les familles des *signori* et celles des *caporali*
il y a rivalité pour la noblesse.
2. C'est-à-dire de la côte orientale. Cette expression très
usitée, *di là dei monti,* change de sens suivant la position de celui
qui l'emploie. – La Corse est divisée du nord au sud par une
chaîne de montagnes.
3. V. Filippini, lib. II. – Le comte *Arrigo bel Missere* mourut
vers l'an 1000 ; on dit qu'à sa mort une voix s'entendit dans
l'air, qui chantait ces paroles prophétiques :

    E morto il conte Arrigo bel Missere,
    E Corsica sarà di male in peggio.
      « Il est mort le compte Henri le *bel Missere*,
      Et la Corse ira de mal en pis. »

pourrait objecter contre notre alliance. Y a-t-il des caporaux en Angleterre ?... »

Après une assez longue traite, devisant de la sorte, le frère et la sœur arrivèrent à un petit village, non loin de Bocognano, où ils s'arrêtèrent pour dîner et passer la nuit chez un ami de leur famille. Ils y furent reçus avec cette hospitalité corse qu'on ne peut apprécier que lorsqu'on l'a connue. Le lendemain leur hôte, qui avait été compère de Mme della Rebbia, les accompagna jusqu'à une lieue de sa demeure.

« Voyez-vous ces bois et ces maquis, dit-il à Orso au moment de se séparer : un homme qui aurait *fait un malheur* y vivrait dix ans en paix sans que gendarmes ou voltigeurs vinssent le chercher. Ces bois touchent à la forêt de Vizzavona, et, lorsqu'on a des amis à Bocognano ou aux environs, on n'y manque de rien. Vous avez là un beau fusil, il doit porter loin. Sang de la Madone ! quel calibre ! On peut tuer avec cela mieux que des sangliers. »

Orso répondit froidement que son fusil était anglais et portait le *plomb* très loin. On s'embrassa, et chacun continua sa route.

Déjà nos voyageurs n'étaient plus qu'à une petite distance de Pietranera, lorsque, à l'entrée d'une gorge qu'il fallait traverser, ils découvrirent sept ou huit hommes armés de fusils, les uns assis sur des pierres, les autres couchés sur l'herbe, quelques-uns debout et semblant faire le guet. Leurs chevaux paissaient à peu de distance. Colomba les examina un instant avec une lunette d'approche, qu'elle tira d'une des grandes poches de cuir que tous les Corses portent en voyage.

« Ce sont nos gens ! s'écria-t-elle d'un air joyeux. Pieruccio a bien fait sa commission.

– Quelles gens ? demanda Orso.

– Nos bergers, répondit-elle. Avant-hier soir, j'ai fait partir Pieruccio, afin qu'il réunît ces braves gens pour vous accompagner à votre maison. Il ne convient pas que vous entriez à Pietranera sans escorte, et vous devez savoir d'ailleurs que les Barricini sont capables de tout.

– Colomba, dit Orso d'un ton sévère, je t'avais priée bien des fois de ne plus me parler des Barricini ni de tes soupçons sans fondement. Je ne me donnerai certainement pas le ridicule de rentrer chez moi avec cette troupe de fainéants, et je suis très mécontent que tu les aies rassemblés sans m'en prévenir.

– Mon frère, vous avez oublié votre pays. C'est à moi qu'il appartient de vous garder lorsque votre imprudence vous expose. J'ai dû faire ce que j'ai fait. »

En ce moment, les bergers, les ayant aperçus, coururent à leurs chevaux et descendirent au galop à leur rencontre

« Evviva Ors' Anton' ! s'écria un vieillard robuste à barbe blanche, couvert, malgré la chaleur, d'une casaque à capuchon, de drap corse, plus épais que la toison de ses chèvres. C'est le vrai portrait de son père, seulement plus grand et plus fort. Quel beau fusil ! On en parlera de ce fusil, Ors' Anton'.

– Evviva Ors' Anton' ! répétèrent en chœur tous les bergers. Nous savions bien qu'il reviendrait à la fin !

– Ah ! Ors' Anton', disait un grand gaillard au teint couleur de brique, que votre père aurait de joie s'il était ici pour vous recevoir ! Le cher homme ! vous le verriez, s'il avait voulu me croire, s'il m'avait laissé faire l'affaire de Giudice... Le brave homme ! Il ne m'a pas cru ; il sait bien maintenant que j'avais raison.

– Bon ! reprit le vieillard, Giudice ne perdra rien pour attendre.

– Evviva Ors' Anton' ! »

Et une douzaine de coups de fusil accompagnèrent cette acclamation.

Orso, de très mauvaise humeur au centre de ce groupe d'hommes à cheval parlant tous ensemble et se pressant pour lui donner la main, demeura quelque temps sans pouvoir se faire entendre. Enfin, prenant l'air qu'il avait en tête de son peloton lorsqu'il lui distribuait les réprimandes et les jours de salle de police.

« Mes amis, dit-il, je vous remercie de l'affection que vous me montrez, de celle que vous portiez à mon père ; mais j'entends, je veux, que personne ne me donne de conseils. Je sais ce que j'ai à faire.

– Il a raison, il a raison ! s'écrièrent les bergers. Vous savez bien que vous pouvez compter sur nous.

– Oui, j'y compte : mais je n'ai besoin de personne maintenant, et nul danger ne menace ma maison. Commencez par faire demi-tour, et allez-vous-en à

"Un vieillard robuste (...) couvert, malgré la chaleur, d'une casaque à capuchon, de drap corse, plus épais que la toison de ses chèvres."

vos chèvres. Je sais le chemin de Pietranera, et je n'ai pas besoin de guides.

– N'ayez peur de rien. Ors' Anton', dit le vieillard ; *ils* n'oseraient se montrer aujourd'hui. La souris rentre dans son trou lorsque revient le matou.

– Matou toi-même, vieille barbe blanche ! dit Orso. Comment t'appelles-tu ?

– Eh quoi ! vous ne me connaissez pas, Ors' Anton', moi qui vous ai porté en croupe si souvent sur mon mulet qui mord ? Vous ne connaissez pas Polo Griffo ? Brave homme, voyez-vous, qui est aux della Rebbia corps et âme. Dites un mot, et quand votre gros fusil parlera, ce vieux mousquet, vieux comme son maître, ne se taira pas. Comptez-y, Ors' Anton'.

– Bien, bien ; mais de par tous les diables ! Allez-vous-en et laissez-nous continuer notre route. »

Les bergers s'éloignèrent enfin, se dirigeant au grand trot vers le village ; mais de temps en temps ils s'arrêtaient sur tous les points élevés de la route, comme pour examiner s'il n'y avait point quelque embuscade cachée, et toujours ils se tenaient assez rapprochés d'Orso et de sa sœur pour être en mesure de leur porter secours au besoin. Et le vieux Polo Griffo disait à ses compagnons :

« Je le comprends ! Je le comprends ! Il ne dit pas ce qu'il veut faire, mais il le fait. C'est le vrai portrait de son père. Bien ! dis que tu n'en veux à personne ! tu as fait un vœu à sainte Nega [1]. Bravo ! Moi je ne

---

1. Cette sainte ne se trouve pas dans le calendrier. Se vouer à sainte Nega, c'est nier tout de parti pris.

donnerais pas une figue de la peau du maire. Avant un mois on n'en pourra plus faire une outre. »

Ainsi précédé par cette troupe d'éclaireurs, le descendant des della Rebbia entra dans son village et gagna le vieux manoir des caporaux, ses aïeux. Les rebbianistes, longtemps privés de chef, s'étaient portés en masse à sa rencontre, et les habitants du village, qui observaient la neutralité, étaient tous sur le pas de leurs portes pour le voir passer. Les barricinistes se tenaient dans leurs maisons et regardaient par les fentes de leurs volets.

Le bourg de Pietranera est très irrégulièrement bâti, comme tous les villages de la Corse ; car, pour voir une rue, il faut aller à Cargese, bâti par M. de Marbeuf [1]. Les maisons, dispersées au hasard et sans le moindre alignement, occupent le sommet d'un petit plateau, ou plutôt d'un palier de la montagne. Vers le milieu du bourg s'élève un grand chêne vert, et auprès on voit une auge en granit, où un tuyau en bois apporte l'eau d'une source voisine. Ce monument d'utilité publique fut construit à frais communs par les della Rebbia et les Barricini ; mais on se tromperait fort si l'on y cherchait un indice de l'ancienne concorde des deux familles. Au contraire, c'est une œuvre de leur jalousie. Autrefois, le colonel della Rebbia ayant envoyé au conseil municipal de sa commune une petite somme pour

1. Le marquis de Marbeuf (1712-1786) fut le premier gouverneur français de la Corse, après la cession de l'île par les Génois (1786). Le quartier Marbeuf a été construit à Paris sur des terrains qui avaient appartenu au marquis.

"Les maisons, dispersées au hasard et sans alignement..."

contribuer à l'érection d'une fontaine, l'avocat Barricini se hâta d'offrir un don semblable, et c'est à ce combat de générosité que Pietranera doit son eau. Autour du chêne vert et de la fontaine, il y a un espace vide qu'on appelle la place, et où les oisifs se rassemblent le soir. Quelquefois on y joue aux cartes, et, une fois l'an dans le carnaval, on y danse. Aux deux extrémités de la place s'élèvent des bâtiments plus hauts que larges, construits en granit et en schiste. Ce sont *les tours* ennemies des della Rebbia et des Barricini. Leur architecture est uniforme, leur hauteur est la même, et l'on voit que la rivalité des deux familles s'est toujours maintenue sans que la fortune décidât entre elles.

Il est peut-être à propos d'expliquer ce qu'il faut entendre par ce mot *tour*. C'est un bâtiment carré d'environ quarante pieds de haut, qu'en un autre pays on nommerait tout bonnement un colombier. La porte, étroite, s'ouvre à huit pieds du sol, et l'on y arrive par un escalier fort roide. Au-dessus de la porte est une fenêtre avec une espèce de balcon percé en dessous comme un mâchecoulis, qui permet d'assommer sans risque un visiteur indiscret. Entre la fenêtre et la porte, on voit deux écussons grossièrement sculptés. L'un portait autrefois la croix de Gênes ; mais, tout martelé aujourd'hui, il n'est plus intelligible que pour les antiquaires. Sur l'autre écusson sont sculptées les armoiries de la famille qui possède la tour. Ajoutez, pour compléter la décoration, quelques traces de balles sur les écussons et les chambranles de la fenêtre, et vous

pouvez vous faire une idée d'un manoir du Moyen
Âge en Corse. J'oubliais de dire que les bâtiments
d'habitation touchent à la tour, et souvent s'y
rattachent par une communication intérieure.

La tour et la maison des della Rebbia occupent
le côté nord de la place de Pietranera ; la tour et la
maison des Barricini, le côté sud. De la tour du nord
jusqu'à la fontaine, c'est la promenade des della
Rebbia, celle des Barricini est du côté opposé. Depuis
l'enterrement de la femme du colonel, on n'avait
jamais vu un membre de l'une de ces deux familles
paraître sur un autre côté de la place que celui qui
lui était assigné par une espèce de convention tacite.
Pour éviter un détour, Orso allait passer devant la
maison du maire, lorsque sa sœur l'avertit et
l'engagea à prendre une ruelle qui les conduirait à
leur maison sans traverser la place.

« Pourquoi se déranger ? dit Orso ; la place
n'est-elle pas à tout le monde ? » Et il poussa son
cheval.

« Brave cœur ! dit tout bas Colomba... Mon père,
tu seras vengé ! »

En arrivant sur la place, Colomba se plaça entre
la maison des Barricini et son frère, et toujours elle
eut l'œil fixé sur les fenêtres de ses ennemis. Elle
remarqua qu'elles étaient barricadées depuis peu, et
qu'on y avait pratiqué des *archere*. On appelle *archere*
d'étroites ouvertures en forme de meurtrières,
ménagées entre de grosses bûches avec lesquelles
on bouche la partie inférieure d'une fenêtre.
Lorsqu'on craint quelque attaque, on se barricade

de la sorte, et l'on peut, à l'abri des bûches, tirer à couvert sur les assaillants.

« Les lâches ! dit Colomba. Voyez, mon frère, déjà ils commencent à se garder : ils se barricadent ! mais il faudra bien sortir un jour ! »

La présence d'Orso sur le côté sud de la place produisit une grande sensation à Pietranera, et fut considérée comme une preuve d'audace approchant de la témérité. Pour les neutres rassemblés le soir autour du chêne vert, ce fut le texte de commentaires sans fin.

Il est heureux, disait-on, que les fils Barricini ne soient pas encore revenus, car ils sont moins endurants que l'avocat, et peut-être n'eussent-ils point laissé passer leur ennemi sur leur terrain sans lui faire payer sa bravade.

« Souvenez-vous de ce que je vais vous dire, voisin, ajouta un vieillard qui était l'oracle du bourg. J'ai observé la figure de la Colomba aujourd'hui, elle a quelque chose dans la tête. Je sens de la poudre en l'air. Avant peu, il y aura de la viande de boucherie à bon marché dans Pietranera. »

CHAPITRE X

Séparé fort jeune de son père, Orso n'avait guère eu le temps de le connaître. Il avait quitté Pietranera à quinze ans pour étudier à Pise, et de là était entré

à l'École militaire pendant que Ghilfuccio promenait
en Europe les aigles impériales. Sur le continent,
Orso l'avait vu à de rares intervalles, et en 1815
seulement il s'était trouvé dans le régiment que son
père commandait. Mais le colonel, inflexible sur la
discipline, traitait son fils comme tous les autres
jeunes lieutenants, c'est-à-dire avec beaucoup de
sévérité. Les souvenirs qu'Orso en avait conservés
étaient de deux sortes. Il se rappelait à Pietranera,
lui confiant son sabre, lui laissant décharger son fusil
quand il revenait de la chasse, ou le faisant asseoir
pour la première fois, lui bambin, à la table de
famille. Puis il se représentait le colonel della Rebbia
l'envoyant aux arrêts pour quelque étourderie, et ne
l'appelant jamais que lieutenant della Rebbia :

« Lieutenant della Rebbia, vous n'êtes pas à votre
place de bataille, trois jours d'arrêts. – Vos tirailleurs
sont à cinq mètres trop loin de la réserve, cinq jours
d'arrêts. – Vous êtes en bonnet de police à midi cinq
minutes, huit jours d'arrêts. »

Une seule fois, aux Quatre-Bras, il lui avait dit :
« Très bien, Orso ; mais de la prudence. »

Au reste, ces derniers souvenirs n'étaient point
ceux que lui rappelait Pietranera. La vue des lieux
familiers à son enfance, les meubles dont se servait
sa mère, qu'il avait tendrement aimée, excitaient en
son âme une foule d'émotions douces et pénibles ;
puis, l'avenir sombre qui se préparait pour lui,
l'inquiétude vague que sa sœur lui inspirait, et
par-dessus tout, l'idée que Miss Nevil allait venir dans
sa maison, qui lui paraissait aujourd'hui si petite, si

pauvre, si peu convenable pour une personne
habituée au luxe, le mépris qu'elle en concevrait
peut-être, toutes ces pensées formaient un chaos
dans sa tête et lui inspiraient un profond
découragement.

Il s'assit, pour souper, dans un grand fauteuil de
chêne noirci, où son père présidait les repas de
famille, et sourit en voyant Colomba hésiter à se
mettre à table avec lui. Il lui sut bon gré d'ailleurs
du silence qu'elle observa pendant le souper et de
la prompte retraite qu'elle fit ensuite, car il se sentait
trop ému pour résister aux attaques qu'elle lui
préparait sans doute ; mais Colomba le ménageait
et voulait lui laisser le temps de se reconnaître. La
tête appuyée sur sa main, il demeura longtemps
immobile, repassant dans son esprit les scènes des
quinze derniers jours qu'il avait vécus. Il voyait avec
effroi cette attente où chacun semblait être de sa
conduite à l'égard des Barricini. Déjà il s'apercevait
que l'opinion de Pietranera commençait à être pour
lui celle du monde. Il devait se venger sous peine
de passer pour un lâche. Mais sur qui se venger ?
Il ne pouvait croire les Barricini coupables de
meurtre. A la vérité ils étaient les ennemis de sa
famille, mais il fallait les préjugés grossiers de ses
compatriotes pour leur attribuer un assassinat.
Quelquefois il considérait le talisman de Miss Nevil,
et en répétait tout bas la devise : « La vie est un
combat ! » Enfin il se dit d'un ton ferme : « J'en
sortirai vainqueur ! » Sur cette bonne pensée il se
leva et, prenant la lampe, il allait monter dans sa

chambre, lorsqu'on frappa à la porte de la maison. L'heure était indue pour recevoir une visite. Colomba parut aussitôt, suivie de la femme qui les servait.

« Ce n'est rien », dit-elle en courant à la porte.

Cependant, avant d'ouvrir, elle demanda qui frappait. Une voix douce répondit :

« C'est moi. »

Aussitôt la barre de bois placée en travers de la porte fut enlevée, et Colomba reparut dans la salle à manger suivie d'une petite fille de dix ans à peu près, pieds nus, en haillons, la tête couverte d'un mauvais mouchoir, de dessous lequel s'échappaient de longues mèches de cheveux noirs comme l'aile d'un corbeau. L'enfant était maigre, pâle, la peau brûlée par le soleil ; mais dans ses yeux brillait le feu de l'intelligence. En voyant Orso, elle s'arrêta timidement et lui fit une révérence à la paysanne ; puis elle parla bas à Colomba, et lui mit entre les mains un faisan nouvellement tué.

« Merci, Chili, dit Colomba. Remercie ton oncle. Il se porte bien ?

– Fort bien, mademoiselle, à vous servir. Je n'ai pu venir plus tôt parce qu'il a bien tardé. Je suis restée trois heures dans le maquis à l'attendre.

– Et tu n'as pas soupé ?

– Dame ! non, mademoiselle, je n'ai pas eu le temps.

– On va te donner à souper. Ton oncle a-t-il du pain encore ?

– Peu, mademoiselle ; mais c'est de la poudre

surtout qui lui manque. Voilà les châtaignes venues, et maintenant il n'a plus besoin que de poudre.

– Je vais te donner un pain pour lui et de la poudre. Dis-lui qu'il la ménage, elle est chère.

– Colomba, dit Orso, en français, à qui donc fais-tu ainsi la charité ?

– A un pauvre bandit de ce village, répondit Colomba dans la même langue. Cette petite est sa nièce.

– Il me semble que tu pourrais mieux placer tes dons. Pourquoi envoyer de la poudre à un coquin qui s'en servira pour commettre des crimes ? Sans cette déplorable faiblesse que tout le monde paraît avoir pour les bandits, il y a longtemps qu'ils auraient disparu de la Corse.

– Les plus méchants de notre pays ne sont pas ceux qui sont à la campagne [1].

– Donne-leur du pain si tu veux, on n'en doit refuser à personne ; mais je n'entends pas qu'on leur fournisse des munitions.

– Mon frère, dit Colomba d'un ton grave, vous êtes le maître ici, et tout vous appartient dans cette maison ; mais je vous en préviens, je donnerai mon mezzaro à cette petite fille pour qu'elle le vende, plutôt que de refuser de la poudre à un bandit. Lui refuser de la poudre ! mais autant vaut le livrer aux gendarmes. Quelle protection a-t-il contre eux, sinon ses cartouches ? »

1. Être *alla campagna,* c'est-à-dire être bandit. Bandit n'est point un terme odieux : il se prend dans le sens de banni ; c'est l'*outlaw* des ballades anglaises.

Le petite fille cependant dévorait avec avidité un morceau de pain, et regardait attentivement tour à tour Colomba et son frère, cherchant à comprendre dans leurs yeux le sens de ce qu'ils disaient.

« Et qu'a-t-il fait enfin ton bandit ? Pour quel crime s'est-il jeté dans le maquis ?

– Bandolaccio n'a point commis de crime, s'écria Colomba. Il a tué Glovan' Opizzo, qui avait assassiné son père pendant que lui était à l'armée. »

Orso détourna la tête, prit la lampe, et, sans répondre, monta dans sa chambre. Alors Colomba donna poudre et provisions à l'enfant, et la reconduisit jusqu'à la porte en lui répétant :

« Surtout que ton oncle veille bien sur Orso ! »

CHAPITRE XI

Orso fut longtemps à s'endormir, et par conséquent s'éveilla fort tard, du moins pour un Corse. A peine levé, le premier objet qui frappa ses yeux, ce fut la maison de ses ennemis et les *archere* qu'ils venaient d'y établir. Il descendit et demanda sa sœur.

« Elle est à la cuisine qui fond des balles », lui répondit la servante Saveria.

Ainsi, il ne pouvait faire un pas sans être poursuivi par l'image de la guerre.

Il trouva Colomba assise sur un escabeau, entourée de balles nouvellement fondues, coupant les jets de plomb.

« Que diable fais-tu là ? lui demanda son frère.

– Vous n'aviez point de balles pour le fusil du colonel, répondit-elle de sa voix douce ; j'ai trouvé un moule de calibre, et vous aurez aujourd'hui vingt-quatre cartouches, mon frère.

– Je n'en ai pas besoin, Dieu merci !

– Il ne faut pas être pris au dépourvu, Ors' Anton'. Vous avez oublié votre pays et les gens qui vous entourent.

– Je l'aurais oublié que tu me le rappellerais bien vite. Dis-moi, n'est-il pas arrivé une grosse malle il y a quelques jours ?

– Oui, mon frère. Voulez-vous que je la monte dans votre chambre ?

– Toi, la monter ! mais tu n'aurais jamais la force de la soulever... N'y a-t-il pas ici quelque homme pour le faire ?

– Je ne suis pas si faible que vous le pensez », dit Colomba, en retroussant ses manches et découvrant un bras blanc et rond, parfaitement formé, mais qui annonçait une force peu commune. « Allons, Saveria, dit-elle à la servante, aide-moi. »

Déjà elle enlevait seule la lourde malle, quand Orso s'empressa de l'aider.

« Il y a dans cette malle, ma chère Colomba, dit-il, quelque chose pour toi. Tu m'excuseras si je te fais de si pauvres cadeaux, mais la bourse d'un lieutenant en demi-solde n'est pas trop bien garnie. »

En parlant, il ouvrait la malle et en retirait quelques robes, un châle et d'autres objets à l'usage d'une jeune personne.

La servante Saveria

« Que de belles choses ! s'écria Colomba. Je vais bien vite les serrer de peur qu'elles ne se gâtent. Je les garderai pour ma noce, ajouta-t-elle avec un sourire triste, car maintenant je suis en deuil. »

Et elle baisa la main de son frère.

« Il y a de l'affectation, ma sœur, à garder le deuil si longtemps.

— Je l'ai juré, dit Colomba d'un ton ferme. Je ne quitterai le deuil... »

Et elle regardait par la fenêtre la maison des Barricini.

« Que le jour où tu te marieras ? dit Orso cherchant à éviter la fin de la phrase.

— Je ne me marierai, dit Colomba, qu'à un homme qui aura fait trois choses... »

Et elle contemplait toujours d'un air sinistre la maison ennemie.

« Jolie comme tu es, Colomba, je m'étonne que tu ne sois pas déjà mariée. Allons, tu me diras qui te fait la cour. D'ailleurs j'entendrai bien les sérénades. Il faut qu'elles soient belles pour plaire à une grande vocératrice comme toi.

— Qui voudrait d'une pauvre orpheline ?... Et puis l'homme qui me fera quitter mes habits de deuil fera prendre le deuil aux femmes de là-bas. »

« Cela devient de la folie », se dit Orso.

Mais il ne répondit rien pour éviter toute discussion.

« Mon frère, dit Colomba d'un ton de câlinerie, j'ai aussi quelque chose à vous offrir. Les habits que vous avez là sont trop beaux pour ce pays-ci. Votre jolie redingote serait en pièces au bout de deux jours si vous la portiez dans le maquis. Il faut la garder pour quand viendra Miss Nevil. »

Puis, ouvrant une armoire, elle en tira un costume complet de chasseur.

« Je vous ai fait une veste de velours, et voici un bonnet comme en portent nos élégants ; je l'ai brodé pour vous il y a bien longtemps. Voulez-vous essayer cela ? »

Et elle lui faisait endosser une large veste de velours vert ayant dans le dos une énorme poche. Elle lui mettait sur la tête un bonnet pointu de velours noir brodé en jais et en soie de la même couleur, et terminé par une espèce de houppe.

« Voici la cartouchière [1] de notre père, dit-elle, son stylet est dans la poche de sa veste. Je vais vous chercher le pistolet.

– J'ai l'air d'un vrai brigand de l'Ambigu-Comique, disait Orso en se regardant dans un petit miroir que lui présentait Saveria.

– C'est que vous avez tout à fait bonne façon comme cela, Ors' Anton', disait la vieille servante, et le plus beau *pointu* [2] de Bocognano ou de Bastelica n'est pas plus brave. »

Orso déjeuna dans son nouveau costume, et pendant le repas il dit à sa sœur que sa malle contenait un certain nombre de livres ; que son

---

1. *Carchera,* ceinture où l'on met des cartouches. On y attache un pistolet à gauche.
2. *Pinsuto.* On appelle ainsi ceux qui portent le bonnet pointu, *barreta pinsuta.*

intention était d'en faire venir de France et d'Italie,
et de la faire travailler beaucoup.

« Car il est honteux, Colomba, ajouta-t-il, qu'une
grande fille comme toi ne sache pas encore les choses
que, sur le continent, les enfants apprennent en
sortant de nourrice.

– Vous avez raison, mon frère, disait Colomba ;
je sais bien ce qui me manque, et je ne demande pas
mieux que d'étudier, surtout si vous voulez bien me
donner des leçons. »

Quelques jours se passèrent sans que Colomba
prononçât le nom des Barricini. Elle était toujours
aux petits soins pour son frère, et lui parlait souvent
de Miss Nevil. Orso lui faisait lire des ouvrages
français et italiens, et il était surpris tantôt de la
justesse et du bon sens de ses observations, tantôt
de son ignorance profonde des choses les plus
vulgaires.

Un matin, après déjeuner, Colomba sortit un
instant, et, au lieu de revenir avec un livre et du
papier, parut avec son mezzaro sur la tête. Son air
était plus sérieux encore que de coutume.

« Mon frère, dit-elle, je vous prierai de sortir avec
moi.

– Où veux-tu que je t'accompagne ? dit Orso en
lui offrant son bras.

– Je n'ai pas besoin de votre bras, mon frère, mais
prenez votre fusil et votre boîte à cartouches. Un
homme ne doit jamais sortir sans ses armes.

– A la bonne heure ! Il faut se conformer à la
mode. Où allons-nous ? »

Colomba, sans répondre, serra le mezzaro autour de sa tête, appela le chien de garde, et sortit suivie de son frère. S'éloignant à grands pas du village, elle prit un chemin creux qui serpentait dans les vignes, après avoir envoyé devant elle le chien, à qui elle fit un signe qu'il semblait bien connaître ; car aussitôt il se mit à courir en zigzag, passant dans les vignes, tantôt d'un côté, tantôt de l'autre, toujours à cinquante pas de sa maîtresse, et quelquefois s'arrêtant au milieu du chemin pour la regarder en remuant la queue. Il paraissait s'acquitter parfaitement de ses fonctions d'éclaireur.

« Si Muschetto aboie, dit Colomba, armez votre fusil, mon frère, et tenez-vous immobile. »

A un demi-mille du village, après bien des détours, Colomba s'arrêta tout à coup dans un endroit où le chemin faisait un coude. Là s'élevait une petite pyramide de branchages, les uns verts, les autres desséchés, amoncelés à la hauteur de trois pieds environ. Du sommet on voyait percer l'extrémité d'une croix de bois peinte en noir. Dans plusieurs cantons de la Corse, surtout dans les montagnes, un usage extrêmement ancien, et qui se rattache peut-être à des superstitions du paganisme, oblige les passants à jeter une pierre ou un rameau d'arbre sur le lieu où un homme a péri de mort violente. Pendant de longues années, aussi longtemps que le souvenir de sa fin tragique demeure dans la mémoire des hommes, cette offrande singulière s'accumule ainsi de jour en jour. On appelle cela l'*amas,* le *mucchio* d'un tel.

Colomba s'arrêta devant ce tas de feuillage, et, arrachant une branche d'arbousier, l'ajouta à la pyramide.

« Orso, dit-elle, c'est ici que notre père est mort. Prions pour son âme, mon frère ! »

Et elle se mit à genoux. Orso l'imita aussitôt. En ce moment la cloche du village tinta lentement, car un homme était mort dans la nuit. Orso fondit en larmes.

Au bout de quelques minutes, Colomba se leva, l'œil sec, mais la figure animée. Elle fit du pouce à la hâte le signe de croix familier à ses compatriotes et qui accompagne d'ordinaire leurs serments solennels, puis, entraînant son frère, elle reprit le chemin du village. Ils rentrèrent en silence dans leur maison. Orso monta dans sa chambre. Un instant après, Colomba l'y suivit, portant une petite cassette qu'elle posa sur la table. Elle l'ouvrit et en tira une chemise couverte de larges taches de sang.

« Voici la chemise de votre père, Orso. »

Et elle la jeta sur ses genoux.

« Voici le plomb qui l'a frappé. »

Et elle posa sur la chemise deux balles oxydées.

« Orso, mon frère ! cria-t-elle en se précipitant dans ses bras et l'étreignant avec force. Orso ! tu le vengeras ! »

Elle l'embrassa avec une espèce de fureur, baisa les balles et la chemise, et sortit de la chambre, laissant son frère comme pétrifié sur sa chaise.

Orso resta quelque temps immobile, n'osant éloigner de lui ces épouvantables reliques. Enfin, faisant un effort, il les remit dans la cassette et courut à l'autre bout de la chambre se jeter sur son lit, la tête tournée vers la muraille, enfoncée dans l'oreiller, comme s'il eût voulu se dérober à la vue d'un spectre. Les dernières paroles de sa sœur retentissaient sans cesse dans ses oreilles, et il lui semblait entendre un oracle fatal, inévitable, qui lui demandait du sang, et du sang innocent. Je n'essaierai pas de rendre les sensations du malheureux jeune homme, aussi confuses que celles qui bouleversent la tête d'un fou. Longtemps il demeura dans la même position, sans oser détourner la tête. Enfin il se leva, ferma la cassette, et sortit précipitamment de sa maison, courant la campagne et marchant devant lui sans savoir où il allait.

Peu à peu, le grand air le soulagea ; il devint plus calme et examina avec quelque sang-froid sa position et les moyens d'en sortir. Il ne soupçonnait point les Barricini de meurtre, on le sait déjà ; mais il les accusait d'avoir supposé la lettre du bandit Agostini ; et cette lettre, il le croyait du moins, avait causé la mort de son père. Les poursuivre comme faussaires, il sentait que cela était impossible. Parfois, si les préjugés ou les instincts de son pays revenaient l'assaillir et lui montraient une vengeance facile au détour d'un sentier, il les écartait avec horreur en pensant à ses camarades de régiment, aux salons de Paris, surtout à Miss Nevil. Puis il songeait aux reproches de sa sœur, et ce qui restait de corse dans son caractère justifiait ces reproches et les rendait plus poignants. Un seul espoir lui restait dans ce combat entre sa conscience et ses préjugés, c'était d'entamer, sous un prétexte quelconque, une querelle avec un des fils de l'avocat et de se battre en duel avec lui. Le tuer d'une balle ou d'un coup d'épée conciliait ses idées corses et ses idées françaises. L'expédient accepté, et méditant les moyens d'exécution, il se sentait déjà soulagé d'un grand poids, lorsque d'autres pensées plus douces contribuèrent encore à calmer son agitation fébrile. Cicéron, désespéré de la mort de sa fille Tullia, oublia sa douleur en repassant dans son esprit toutes les belles choses qu'il pourrait dire à ce sujet. En discourant de la sorte sur la vie et la mort, M. Shandy se consola de la perte de son fils. Orso se rafraîchit le sang en pensant qu'il pourrait faire à Miss Nevil un tableau de l'état de son âme, tableau qui ne pourrait manquer d'intéresser puissamment cette belle personne.

Il se rapprochait du village, dont il s'était fort éloigné sans s'en apercevoir, lorsqu'il entendit la voix d'une petite fille qui chantait, se croyant seule sans doute, dans un sentier au bord du maquis. C'était cet air lent et monotone consacré aux lamentations funèbres, et l'enfant chantait : « A mon fils, mon fils en lointain pays – gardez ma croix et ma chemise sanglante... »

« Que chantes-tu là, petite ? dit Orso d'un ton de colère, en paraissant tout à coup.

– C'est vous, Ors' Anton' ! s'écria l'enfant un peu effrayée... C'est une chanson de Mlle Colomba...

– Je te défends de la chanter », dit Orso d'une voix terrible.

L'enfant, tournant la tête à droite et à gauche, semblait chercher de quel côté elle pouvait se sauver, et sans doute elle se serait enfuie si elle n'eût été retenue par le soin de conserver un gros paquet qu'on voyait sur l'herbe à ses pieds.

Orso eut honte de sa violence.

« Que portes-tu là, ma petite ? » lui demanda-t-il le plus doucement qu'il put.

Et comme Chilina hésitait à répondre, il souleva le linge qui enveloppait le paquet, et vit qu'il contenait un pain et d'autres provisions.

« A qui portes-tu ce pain, ma mignonne ? lui demanda-t-il.

— Vous le savez bien, monsieur, à mon oncle.

— Et ton oncle n'est-il pas bandit ?

— Pour vous servir, monsieur Ors' Anton'.

— Si les gendarmes te rencontraient, ils te demanderaient où tu vas...

— Je leur dirais, répondit l'enfant sans hésiter, que je porte à manger aux Lucquois qui coupent le maquis.

— Et si tu trouvais quelque chasseur affamé qui voulût dîner à tes dépens et te prendre tes provisions ?...

— On n'oserait. Je dirais que c'est pour mon oncle.

— En effet, il n'est point homme à se laisser prendre son dîner... Il t'aime bien, ton oncle ?

— Oh ! oui, Ors' Anton'. Depuis que mon papa est mort, il a soin de la famille : de ma mère, de moi et de ma petite sœur. Avant que maman fût malade, il la recommandait aux riches pour qu'on lui donnât de l'ouvrage. Le maire me donne une robe tous les ans, et le curé me montre le catéchisme et à lire depuis que mon oncle leur a parlé. Mais c'est votre sœur surtout qui est bonne pour nous. »

En ce moment, un chien parut dans le sentier. La petite fille, portant deux doigts à sa bouche, fit entendre un sifflement aigu : aussitôt le chien vint à elle et la caressa, puis s'enfonça brusquement dans le maquis. Bientôt deux hommes mal vêtus, mais bien armés, se levèrent derrière une cépée à quelques pas d'Orso. On eût dit qu'ils s'étaient avancés en rampant comme des couleuvres au milieu du fourré de cistes et de myrtes qui couvrait le terrain.

« Oh ! Ors' Anton', soyez le bienvenu, dit le plus âgé de ces deux hommes. Eh quoi ! vous ne me reconnaissez pas ?

— Non, dit Orso le regardant fixement.

— C'est drôle comme une barbe et un bonnet pointu vous changent un homme ! Allons, mon lieutenant, regardez bien. Avez-vous donc oublié les anciens de Waterloo ? Vous ne vous souvenez plus de Brando Savelli, qui a déchiré plus d'une cartouche à côté de vous dans ce jour de malheur ?

— Quoi ! c'est toi ! dit Orso. Et tu as déserté en 1816 !

— Comme vous dites, mon lieutenant. Dame, le service ennuie, et puis j'avais un compte à régler dans ce pays-ci. Ha ! ha ! Chili, tu es une brave fille. Sers-nous vite car nous avons faim. Vous n'avez pas d'idée, mon lieutenant, comme on a d'appétit dans le maquis. Qu'est-ce qui nous envoie cela, Mlle Colomba ou le maire ?

– Non, mon oncle ; c'est la meunière qui m'a donné cela pour vous et une couverture pour maman.

– Qu'est-ce qu'elle me veut ?

– Elle dit que ses Lucquois, qu'elle a pris pour défricher, lui demandent maintenant trent-cinq sous et les châtaignes, à cause de la fièvre qui est dans le bas de Pietranera.

– Les fainéants !... Je verrai. – Sans façon, mon lieutenant, voulez-vous partager notre dîner ? Nous avons fait de plus mauvais repas ensemble du temps de notre pauvre compatriote qu'on a réformé.

– Grand merci. – On m'a réformé aussi, moi.

– Oui, je l'ai entendu dire ; mais vous n'en avez pas été bien fâché, je gage. Histoire de régler votre compte à vous. – Allons, curé, dit le bandit à son camarade, à table ! Monsieur Orso, je vous présente monsieur le curé, c'est-à-dire, je ne sais pas trop s'il est curé, mais il en a la science.

– Un pauvre étudiant en théologie, monsieur, dit le second bandit, qu'on a empêché de suivre sa vocation. Qui sait ? J'aurais pu être pape, Brandolaccio.

– Quelle cause a donc privé l'Église de vos lumières ? demanda Orso.

– Un rien, un compte à régler, comme dit mon ami Brandolaccio, une sœur à moi qui avait fait des folies pendant que je dévorais les bouquins à l'université de Pise. Il me fallut retourner au pays pour la marier. Mais le futur, trop pressé, meurt de la fièvre trois jours avant mon arrivée. Je m'adresse alors, comme vous eussiez fait à ma place, au frère du défunt. On me dit qu'il était marié. Que faire ?

– En effet, cela était embarrassant. Que fîtes-vous ?

– Ce sont de ces cas où il faut en venir à la pierre à fusil [1] ?

– C'est-à-dire que...

– Je lui mis une balle dans la tête », dit froidement le bandit.

Orso fit un mouvement d'horreur. Cependant la curiosité, et peut-être aussi le désir de retarder le moment où il faudrait rentrer chez lui, le firent rester à sa place, et continuer la conversation avec ces deux hommes, dont chacun avait au moins un assassinat sur la conscience.

Pendant que son camarade parlait, Brandolaccio mettait devant lui du pain et de la viande ; il se servit lui-même, puis il fit la part de son chien, qu'il présenta à Orso sous le nom de Brusco, comme doué du merveilleux instinct de reconnaître un voltigeur sous quelque déguisement que ce fût. Enfin il coupa un morceau de pain et une tranche de jambon cru qu'il donna à sa nièce.

« La belle vie que celle de bandit ! s'écria l'étudiant en théologie après avoir mangé quelques bouchées. Vous en tâterez peut-être un jour, monsieur della Rebbia, et vous verrez combien il est doux de ne connaître d'autre maître que son caprice. »

1. *La scaglia,* expression très usitée.

Jusque-là, le bandit s'était exprimé en italien ; il poursuivit en français :

« La Corse n'est pas un pays bien amusant pour un jeune homme ; mais pour un bandit, quelle différence ! Les femmes sont folles de nous. Tel que vous me voyez, j'ai trois maîtresses dans trois cantons différents. Je suis partout chez moi. Et il y en a une qui est la femme d'un gendarme.

— Vous savez bien des langues monsieur, dit Orso d'un ton grave.

— Si je parle français, c'est que, voyez-vous, *maxima debetur pueris reverentia.* Nous entendons, Brandolaccio et moi, que la petite tourne bien et marche droit.

— Quand viendront ses quinze ans, dit l'oncle de Chilina, je la marierai bien. J'ai déjà un parti en vue.

— C'est toi qui feras la demande ? dit Orso.

— Sans doute. Croyez-vous que si je dis à un richard du pays : « Moi, Brando Savelli, je verrais avec plaisir que votre fils épousât Michelina Savelli », croyez-vous qu'il se fera tirer les oreilles ?

— Je ne le lui conseillerais pas, dit l'autre bandit. Le camarade a la main un peu lourde.

— Si j'étais un coquin, poursuivit Brandolaccio, une canaille, un supposé, je n'aurais qu'à ouvrir ma besace, les pièces de cent sous y pleuvraient.

— Il y a donc dans ta besace, dit Orso, quelque chose qui les attire ?

— Rien, mais si j'écrivais, comme il y en a qui l'ont fait, à un riche : « J'ai besoin de cent francs », il se dépêcherait de me les envoyer. Mais je suis un homme d'honneur, mon lieutenant.

– Savez-vous, monsieur della Rebbia, dit le bandit que son camarade appelait le curé, savez-vous que, dans ce pays de mœurs simples, il y a pourtant quelques misérables qui profitent de l'estime que nous inspirons au moyen de nos passeports (il montrait son fusil), pour tirer des lettres de change en contrefaisant notre écriture ?

– Je le sais, dit Orso d'un ton brusque. Mais quelles lettres de change ?

– Il y a six mois, continua le bandit, que je me promenais du côté d'Orezza, quand vient à moi un manant qui de loin m'ôte son bonnet et me dit : « Ah ! monsieur le curé (ils m'appellent toujours ainsi), excusez-moi, donnez-moi du temps ; je n'ai pu trouver que cinquante-cinq francs ; mais, vrai, c'est tout ce que j'ai pu amasser. » Moi, tout surpris : Qu'est-ce à dire, maroufle ! cinquante-cinq francs ? lui dis-je. – Je veux dire soixante-cinq, me répondit-il ; mais pour cent que vous me demandez, c'est impossible. – Comment, drôle ! je te demande cent francs ! Je ne te connais pas. » – Alors il me remit une lettre, ou plutôt un chiffon tout sale, par lequel on l'invitait à déposer cent francs dans un lieu qu'on indiquait, sous peine de voir sa maison brûlée et ses vaches tuées par Giocanto Castriconi, c'est mon nom. Et l'on avait eu l'infamie de contrefaire ma signature ! Ce qui me piqua le plus, c'est que la lettre était écrite en patois, pleine de fautes d'orthographe... Moi faire des fautes d'orthographe ! moi qui avais tous les prix à l'université ! Je commence par donner à mon vilain un soufflet qui le fait tourner deux fois

sur lui-même. – « Ah ! tu me prends pour un voleur,
coquin que tu es ! » lui dis-je, et je lui donne un
bon coup de pied là où vous savez. Un peu soulagé,
je lui dis : « Quand dois-tu porter cet argent au lieu
désigné ? – Aujourd'hui même. – Bien ! va le
porter. » C'était au pied d'un pin, et le lieu était
parfaitement indiqué. Il porte l'argent, l'enterre au
pied de l'arbre et revient me trouver. Je m'étais
embusqué aux environs. Je demeurai là avec mon
homme six mortelles heures. Monsieur della Rebbia,
je serais resté trois jours s'il eût fallu. Au bout de
six heures paraît un *Bastiaccio* [1], un infâme usurier.
Il se baisse pour prendre l'argent, je fais feu, et je
l'avais si bien ajusté que sa tête porta en tombant
sur les écus qu'il déterrait. « Maintenant, drôle !
dis-je au paysan, reprends ton argent, et ne t'avise
plus de soupçonner d'une bassesse Giocanto Castriconi. » Le pauvre diable, tout tremblant, ramassa
ses soixante-cinq francs sans prendre la peine de les
essuyer. Il me dit merci, je lui allonge un bon coup
de pied d'adieu, et il court encore.

– Ah ! curé, dit Brandolaccio, je t'envie ce coup
de fusil-là. Tu as dû bien rire ?

– J'avais attrapé le *Bastiaccio* à la tempe, continua
le bandit, et cela me rappela ces vers de Virgile :

> ... *Liquefacto tempora plumbo*

1. Les Corses montagnards détestent les habitants de Bastia,
qu'ils ne regardent pas comme des compatriotes. Jamais ils ne
disent *Bastiese,* mais *Bastiaccio :* on sait que la terminaison en
accio se prend d'ordinaire dans un sens de mépris.

Diffidit, ac multà porrectum extendit arenà [1]

Liquefacto ! Croyez-vous, monsieur Orso, qu'une balle de plomb se fonde par la rapidité de son trajet dans l'air ? Vous qui avez étudié la balistique, vous devriez bien me dire si c'est une erreur ou une vérité ? »

Orso aimait mieux discuter cette question de physique que d'argumenter avec le licencié sur la moralité de son action. Brandolaccio, que cette dissertation scientifique n'amusait guère, l'interrompit pour remarquer que le soleil allait se coucher :

« Puisque vous n'avez pas voulu dîner avec nous, Ors' Anton', lui dit-il, je vous conseille de ne pas faire attendre plus longtemps Mlle Colomba. Et puis il ne fait pas toujours bon à courir les chemins quand le soleil est couché. Pourquoi donc sortez-vous sans fusil ? Il y a des mauvaises gens dans ces environs ; prenez-y garde. Aujourd'hui vous n'avez rien à craindre ; les Barricini amènent le préfet chez eux ; ils l'ont rencontré sur la route, et il s'arrête un jour à Pietranera avant d'aller poser à Corte une première pierre, comme on dit..., une bêtise ! Il couche ce soir chez les Barricini ; mais demain ils seront libres. Il y a Vincentello, qui est un mauvais garnement, et Orlanduccio, qui ne vaut guère mieux... Tâchez de les trouver séparés, aujourd'hui l'un, demain l'autre ; mais méfiez-vous, je ne vous dis que cela.

1. « D'un plomb qui a fondu en traversant l'air, il fend au milieu le front du jeune homme et l'étend mort sur le sable dont il recouvre une large place. » (Traduc. d'André Bellessort.)

« – Merci du conseil, dit Orso ; mais nous n'avons rien à démêler ensemble ; jusqu'à ce qu'ils viennent me chercher, je n'ai rien à leur dire. »

Le bandit tira la langue de côté et la fit claquer contre sa joue d'un air ironique, mais il ne répondit rien. Orso se levait pour partir :

« A propos, dit Brandolaccio, je ne vous ai pas remercié de votre poudre ; elle m'est venue bien à propos. Maintenant rien ne me manque..., c'est-à-dire il me manque encore des souliers..., mais je m'en ferai de la peau d'un mouflon un de ces jours. »

Orso glissa deux pièces de cinq francs dans la main du bandit.

« C'est Colomba qui t'envoyait la poudre ; voici pour t'acheter des souliers.

– Pas de bêtises, mon lieutenant, s'écria Brandolaccio en lui rendant les deux pièces. Est-ce que vous me prenez pour un mendiant ? J'accepte le pain et la poudre, mais je ne veux rien autre chose.

– Entre vieux soldats, j'ai cru qu'on pouvait s'aider. Allons, adieu ! »

Mais, avant de partir, il avait mis de l'argent dans la besace du bandit, sans qu'il s'en fût aperçu.

« Adieu, Ors' Anton' ! dit le théologien. Nous nous retrouverons peut-être au maquis un de ces jours, et nous continuerons nos études sur Virgile. »

Orso avait quitté ses honnêtes compagnons depuis un quart d'heure, lorsqu'il entendit un homme qui courait derrière lui de toutes ses forces. C'était Brandolaccio.

« C'est un peu fort, mon lieutenant, s'écria-t-il

hors d'haleine, un peu trop fort ! voilà vos dix francs.
De la part d'un autre, je ne passerais pas l'espièglerie.
Bien des choses de ma part à Mlle Colomba. Vous
m'avez tout essoufflé ! Bonsoir. »

CHAPITRE XII

Orso trouva Colomba un peu alarmée de sa longue
absence ; mais, en le voyant, elle reprit cet air de
sérénité triste qui était son expression habituelle.
Pendant le repas du soir, ils ne parlèrent que de
choses indifférentes, et Orso, enhardi par l'air calme
de sa sœur, lui raconta sa rencontre avec les bandits
et hasarda même quelques plaisanteries sur l'éducation morale et religieuse que recevait la petite Chilina
par les soins de son oncle et de son honorable
collègue, le sieur Castriconi.

« Brandolaccio est un honnête homme, dit
Colomba ; mais, pour Castriconi, j'ai entendu dire
que c'était un homme sans principes.

– Je crois, dit Orso, qu'il vaut tout autant que
Brandolaccio, et Brandolaccio autant que lui. L'un
et l'autre sont en guerre ouverte avec la société. Un
premier crime les entraîne chaque jour à d'autres
crimes ; et pourtant ils ne sont peut-être pas aussi
coupables que bien des gens qui n'habitent pas le
maquis. »

Un éclair de joie brilla sur le front de sa sœur.

« Oui, poursuivit Orso, ces misérables ont de l'honneur à leur manière. C'est un préjugé cruel et non une basse cupidité qui les a jetés dans la vie qu'ils mènent. »

Il y eut un moment de silence.

« Mon frère, dit Colomba en lui versant du café, vous savez peut-être que Charles-Baptiste Pietri est mort la nuit passée ? Oui, il est mort de la fièvre des marais.

– Qui est ce Pietri ?

– C'est un homme de ce bourg, mari de Madeleine qui a reçu le portefeuille de notre père mourant. Sa veuve est venue me prier de paraître à sa veillée et d'y chanter quelque chose. Il convient que vous veniez aussi. Ce sont nos voisins, et c'est une politesse dont on ne peut se dispenser dans un petit endroit comme le nôtre.

– Au diable ta veillée, Colomba ! Je n'aime point à voir ma sœur se donner ainsi en spectacle au public.

– Orso, répondit Colomba, chacun honore ses morts à sa manière. La *ballata* nous vient de nos aïeux, et nous devons la respecter comme un usage antique. Madeleine n'a pas le *don*, et la vieille Fiordispina, qui est la meilleure vocératrice du pays, est malade. Il faut bien quelqu'un pour la *ballata*.

– Crois-tu que Charles-Baptiste ne trouvera pas son chemin dans l'autre monde si l'on ne chante de mauvais vers sur sa bière ? Va à la veillée si tu veux, Colomba ; j'irai avec toi, si tu crois que je le doive, mais n'improvise pas, cela est inconvenant à ton âge, et... je t'en prie, ma sœur.

– Mon frère, j'ai promis. C'est la coutume ici, vous le savez, et, je vous le répète, il n'y a que moi pour improviser.

– Sotte coutume !

– Je souffre beaucoup de chanter ainsi. Cela me rappelle tous nos malheurs. Demain j'en serai malade ; mais il le faut. Permettez-le-moi, mon frère. Souvenez-vous qu'à Ajaccio vous m'avez dit d'improviser pour amuser cette demoiselle anglaise qui se moque de nos vieux usages. Ne pourrai-je donc improviser aujourd'hui pour de pauvres gens qui m'en sauront gré, et que cela aidera à supporter leur chagrin ?

– Allons, fais comme tu voudras. Je gage que tu as déjà composé ta *ballata,* et tu ne veux pas la perdre.

– Non, je ne pourrais pas composer cela d'avance, mon frère. Je me mets devant le mort, et je pense à ceux qui restent. Les larmes me viennent aux yeux et alors je chante ce qui me vient à l'esprit.

Tout cela était dit avec une simplicité telle qu'il était impossible de supposer le moindre amour-propre poétique chez la signorina Colomba. Orso se laissa fléchir et se rendit avec sa sœur à la maison de Pietri. Le mort était couché sur une table, la figure découverte, dans la plus grande pièce de la maison. Portes et fenêtres étaient ouvertes, et plusieurs cierges brûlaient autour de la table. A la tête du mort se tenait sa veuve, et derrière elle un grand nombre de femmes occupaient tout un côté de la chambre ; de l'autre étaient rangés les hommes, debout, tête nue, l'œil fixé sur le cadavre, observant un profond

silence. Chaque nouveau visiteur s'approchait de la
table, embrassait le mort [1], faisait un signe de tête
à sa veuve et à son fils, puis prenait place dans le
cercle sans proférer une parole. De temps en temps,
néanmoins, un des assistants rompait le silence
solennel pour adresser quelques mots au défunt.
« Pourquoi as-tu quitté ta bonne femme ? disait une
commère. N'avait-elle pas bien soin de toi ? Que te
manquait-il ? Pourquoi ne pas attendre un mois
encore, ta bru t'aurait donné un fils ? »

Un grand jeune homme, fils de Pietri, serrant la
main froide de son père, s'écria : « Oh ! pourquoi
n'es-tu pas mort de la *malemort* [2] ? Nous t'aurions
vengé ! »

Ce furent les premières paroles qu'Orso entendit
en entrant. A sa vue le cercle s'ouvrit, et un faible
murmure de curiosité annonça l'attente de l'assem-
blée excitée par la présence de la vocératrice.
Colomba embrassa la veuve, prit une de ses mains
et demeura quelques minutes recueillie et les yeux
baissés. Puis elle rejeta son mezzaro en arrière,
regarda fixement le mort, et, penchée sur ce cadavre,
presque aussi pâle que lui, elle commença de la
sorte :

« Charles-Baptiste ! le Christ reçoive ton âme ! – Vivre,
c'est souffrir. Tu vas dans un lieu – où il n'y a ni soleil ni
froidure. – Tu n'as plus besoin de ta serpe, – ni de ta lourde
pioche. – Plus de travail pour toi. – Désormais tous tes jours

1. Cet usage subsiste encore à Bocognano (1840).
2. *La mala morte,* mort violente.

sont des dimanches. – Charles-Baptiste, le Christ ait ton âme ! – Ton fils gouverne ta maison. – J'ai vu tomber le chêne – desséché par le Libeccio. – J'ai cru qu'il était mort. – Je suis repassée, et sa racine – avait poussé un rejeton. – Le rejeton est devenu un chêne, – au vaste ombrage. – Sous ses fortes branches, Maddelé, repose-toi, – et pense au chêne qui n'est plus. »

Ici Madeleine commença à sangloter tout haut, et deux ou trois hommes qui, dans l'occasion, auraient tiré sur des chrétiens avec autant de sang-froid que sur des perdrix, se mirent à essuyer de grosses larmes sur leurs joues basanées.

Colomba continua de la sorte pendant quelque temps, s'adressant tantôt au défunt, tantôt à sa famille, quelquefois, par une prosopopée fréquente dans les *ballate,* faisant parler le mort lui-même pour consoler ses amis ou leur donner des conseils. A mesure qu'elle improvisait, sa figure prenait une expression sublime ; son teint se colorait d'un rose transparent qui faisait ressortir davantage l'éclat de ses dents et le feu de ses prunelles dilatées. C'était le pythonisse sur son trépied. Sauf quelques soupirs, quelques sanglots étouffés, on n'eût pas entendu le plus léger murmure dans la foule qui se pressait autour d'elle. Bien que moins accessible qu'un autre à cette poésie sauvage, Orso se sentit bientôt atteint par l'émotion générale. Retiré dans un coin obscur de la salle, il pleura comme pleurait le fils de Pietri.

Tout à coup un léger mouvement se fit dans l'auditoire : le cercle s'ouvrit, et plusieurs étrangers entrèrent. Au respect qu'on leur montra, à l'empres-

"A la tête du mort, se tenait la veuve, et derrière elle un grand nombre de femmes occupaient tout un côté de la chambre."

sement qu'on mit à leur faire place, il était évident
que c'étaient des gens d'importance dont la visite
honorait singulièrement la maison. Cependant, par
respect pour la *ballata* personne ne leur adressa la
parole. Celui qui était entré le premier paraissait
avoir une quarantaine d'années. Son habit noir, son
ruban rouge à rosette, l'air d'autorité et de confiance
qu'il portait sur sa figure, faisaient d'abord deviner
le préfet. Derrière lui venait un vieillard voûté, au
teint bilieux, cachant mal sous des lunettes vertes un
regard timide et inquiet. Il avait un habit noir trop
large pour lui, et qui, bien que tout neuf encore, avait
été évidemment fait plusieurs années auparavant.
Toujours à côté du préfet, on eût dit qu'il voulait
se cacher dans son ombre. Enfin, après lui, entrèrent
deux jeunes gens de haute taille, le teint brûlé par
le soleil, les joues enterrées sous d'épais favoris, l'œil
fier, arrogant, montrant une impertinente curiosité.
Orso avait eu le temps d'oublier les physionomies
des gens de son village ; mais la vue du vieillard en
lunettes vertes réveilla sur-le-champ en son esprit de
vieux souvenirs. Sa présence à la suite du préfet
suffisait pour le faire reconnaître. C'était l'avocat
Barricini, le maire de Pietranera, qui venait avec ses
deux fils donner au préfet la représentation d'une
ballata. Il serait difficile de définir ce qui se passa en
ce moment dans l'âme d'Orso ; mais la présence de
l'ennemi de son père lui causa une espèce d'horreur,
et, plus que jamais, il se sentit accessible aux
soupçons qu'il avait longtemps combattus.

Pour Colomba, à la vue de l'homme à qui elle avait

voué une haine mortelle, sa physionomie mobile prit
aussitôt une expression sinistre. Elle pâlit ; sa voix
devint rauque, le vers commencé expira sur ses
lèvres... Mais bientôt, reprenant sa *ballata*, elle
poursuivit avec une nouvelle véhémence :

« Quand l'épervier se lamente – devant son nid vide,
– les étourneaux voltigent alentour, – insultant à sa
douleur. »

Ici on entendit un rire étouffé ; c'étaient les deux
jeunes gens nouvellement arrivés qui trouvaient sans
doute la métaphore trop hardie.

« L'épervier se réveillera, il déploiera ses ailes, – il lavera
son bec dans le sang ! – Et toi, Charles-Baptiste, que tes
amis – t'adressent leur dernier adieu. – Leurs larmes ont
assez coulé. – La pauvre orpheline seule ne te pleurera pas.
– Pourquoi pleurerait-elle ? – Tu t'es endormi plein de jours
– au milieu de ta famille, – préparé à comparaître – devant
le Tout-Puissant. – L'orpheline pleure son père, – surpris
par de lâches assassins, – frappé par-derrière ; – son père
dont le sang est rouge – sous l'amas de feuilles vertes. –
Mais elle a recueilli son sang, – ce sang noble et innocent ;
– elle l'a répandu sur Pietranera, – pour qu'il devînt un
poison mortel. – Et Pietranera restera marquée, – jusqu'à
ce qu'un sang coupable – ait effacé la trace du sang
innocent. »

En achevant ces mots, Colomba se laissa tomber
sur une chaise, elle rabattit son mezzaro sur sa figure,
et on l'entendit sangloter. Les femmes en pleurs
s'empressèrent autour de l'improvisatrice ; plusieurs
hommes jetaient des regards farouches sur le maire

et ses fils ; quelques vieillards murmuraient contre
le scandale qu'ils avaient occasionné par leur présence. Le fils du défunt fendit la presse et se disposait
à prier le maire de vider la place au plus vite ; mais
celui-ci n'avait pas attendu cette invitation. Il gagnait
la porte, et déjà ses deux fils étaient dans la rue. Le
préfet adressa quelques compliments de condo-
léances au jeune Pietri, et les suivit presque aussitôt.
Pour Orso, il s'approcha de sa sœur, lui prit le bras
et l'entraîna hors de la salle.

« Accompagnez-les, dit le jeune Pietri à quelques-
uns de ses amis. Ayez soin que rien ne leur arrive ! »

Deux ou trois jeunes gens mirent précipitamment
leur stylet dans la manche gauche de leur veste, et
escortèrent Orso et sa sœur jusqu'à la porte de leur
maison.

CHAPITRE XIII

Colomba, haletante, épuisée, était hors d'état de
prononcer une parole. Sa tête était appuyée sur
l'épaule de son frère, et elle tenait une de ses mains
serrée entre les siennes. Bien qu'il lui sût intérieure-
ment assez mauvais gré de sa péroraison, Orso était
trop alarmé pour lui adresser le moindre reproche.
Il attendait en silence la fin de la crise nerveuse à
laquelle elle semblait en proie, lorsqu'on frappa à
la porte, et Saveria entra tout effarée annonçant :

« Monsieur le préfet ! » A ce nom, Colomba se releva comme honteuse de sa faiblesse, et se tint debout, s'appuyant sur une chaise qui tremblait visiblement sous sa main.

Le préfet débuta par quelques excuses banales sur l'heure indue de sa visite, plaignit Mlle Colomba, parla du danger des émotions fortes, blâma la coutume des lamentations funèbres que le talent même de la vocératrice rendait encore plus pénibles pour les assistants ; il glissa avec adresse un léger reproche sur la tendance de la dernière improvisation. Puis, changeant de ton :

« Monsieur della Rebbia, dit-il, je suis chargé de bien des compliments pour vous par vos amis anglais : Miss Nevil fait mille amitiés à mademoiselle votre sœur. J'ai pour vous une lettre d'elle à vous remettre.

– Une lettre de Miss Nevil ? s'écria Orso.

– Malheureusement je ne l'ai pas sur moi, mais vous l'aurez dans cinq minutes. Son père a été souffrant. Nous avons craint un moment qu'il n'eût gagné nos terribles fièvres. Heureusement le voilà hors d'affaire, et vous en jugerez par vous-même, car vous le verrez bientôt, j'imagine.

– Miss Nevil a dû être bien inquiète ?

– Par bonheur, elle n'a connu le danger que lorsqu'il était déjà loin. Monsieur della Rebbia, Miss Nevil m'a beaucoup parlé de vous et de mademoiselle votre sœur. »

Orso s'inclina.

« Elle a beaucoup d'amitié pour vous deux. Sous

un extérieur plein de grâce, sous une apparence de légèreté, elle cache une raison parfaite.

– C'est une charmante personne, dit Orso.

– C'est presque à sa prière que je viens ici, monsieur. Personne ne connaît mieux que moi une fatale histoire que je voudrais bien n'être pas obligé de vous rappeler. Puisque M. Barricini est encore maire de Pietranera, et moi, préfet de ce département, je n'ai pas besoin de vous dire le cas que je fais de certains soupçons, dont, si je suis bien informé, quelques personnes imprudentes vous ont fait part, et que vous avez repoussés, je le sais, avec l'indignation qu'on devait attendre de votre position et de votre caractère.

– Colomba, dit Orso en s'agitant sur sa chaise, tu es bien fatiguée. Tu devrais aller te coucher. »

Colomba fit un signe de tête négatif. Elle avait repris son calme habituel et fixait des yeux ardents sur le préfet.

« M. Barricini, continua le préfet, désirerait vivement voir cesser cette espèce d'inimitié…, c'est-à-dire cet état d'incertitude où vous vous trouvez l'un vis-à-vis de l'autre… Pour ma part, je serais enchanté de vous voir établir avec lui les rapports que doivent avoir ensemble des gens faits pour s'estimer…

– Monsieur, interrompit Orso d'une voix émue, je n'ai jamais accusé l'avocat Barricini d'avoir assassiné mon père, mais il a fait une action qui m'empêchera toujours d'avoir aucune relation avec lui. Il a supposé une lettre menaçante, au nom d'un certain bandit… du moins il l'a sourdement attribuée à mon père. Cette lettre enfin, monsieur, a probablement été la cause indirecte de sa mort. »

Le préfet se recueillit un instant.

« Que monsieur votre père l'ait cru, lorsque, emporté par la vivacité de son caractère, il plaidait contre M. Barricini, la chose est excusable ; mais, de votre part, un semblable aveuglement n'est plus permis. Réfléchissez donc que Barricini n'avait point intérêt à supposer cette lettre... Je ne vous parle pas de son caractère..., vous ne le connaissez point, vous êtes prévenu contre lui..., mais vous ne supposez pas qu'un homme connaissant les lois...

– Mais, monsieur, dit Orso en se levant, veuillez songer que me dire que cette lettre n'est pas l'ouvrage de M. Barricini, c'est l'attribuer à mon père. Son honneur, monsieur, est le mien.

– Personne plus que moi, monsieur, poursuivit le préfet, n'est convaincu de l'honneur du colonel della Rebbia... mais... l'auteur de cette lettre est connu maintenant ?

– Qui ? s'écria Colomba s'avançant vers le préfet.

– Un misérable, coupable de plusieurs crimes..., de ces crimes que vous ne pardonnez pas, vous autres Corses, un voleur, un certain Tomaso Bianchi, à présent détenu dans les prisons de Bastia, a révélé qu'il était l'auteur de cette fatale lettre.

– Je ne connais pas cet homme, dit Orso. Quel aurait pu être son but ?

– C'est un homme de ce pays, dit Colomba, frère d'un ancien meunier à nous. C'est un méchant et un menteur, indigne qu'on le croie.

– Vous allez voir, continua le préfet, l'intérêt qu'il

avait dans l'affaire. Le meunier dont parle mademoiselle votre sœur, – il se nommait, je crois, Théodore, – tenait à loyer du colonel un moulin sur le
cours d'eau dont M. Barricini contestait la possession
à monsieur votre père. Le colonel, généreux à son
habitude, ne tirait presque aucun profit de son
moulin. Or, Tomaso a cru que, si M. Barricini
obtenait le cours d'eau, il aurait un loyer considéra-
ble à lui payer, car on sait que M. Barricini aime assez
l'argent. Bref, pour obliger son frère, Tomaso a
contrefait la lettre du bandit, et voilà toute l'histoire.
Vous savez que les liens de famille sont si puissants
en Corse, qu'ils entraînent quelquefois au crime...
Veuillez prendre connaissance de cette lettre que
m'écrit le procureur général, elle vous confirmera
ce que je viens de vous dire. »

Orso parcourut la lettre qui relatait en détail les
aveux de Tomaso, et Colomba lisait en même temps
par-dessus l'épaule de son frère.

Lorsqu'elle eut fini, elle s'écria :

« Orlanduccio Barricini est allé à Bastia il y a un
mois, lorsqu'on a su que mon frère allait revenir. Il
aura vu Tomaso et lui aura acheté ce mensonge.

– Mademoiselle, dit le préfet avec impatience,
vous expliquez tout par des suppositions odieuses ;
est-ce le moyen de découvrir la vérité ? Vous,
monsieur, vous êtes de sang-froid ; dites-moi, que
pensez-vous maintenant ? Croyez-vous, comme
mademoiselle, qu'un homme qui n'a qu'une condam-
nation assez légère à redouter se·charge de gaieté
de cœur d'un crime de faux pour obliger quelqu'un
qu'il ne connaît pas ? »

Orso relut la lettre du procureur général, pesant chaque mot avec une attention extraordinaire ; car, depuis qu'il avait vu l'avocat Barricini, il se sentait plus difficile à convaincre qu'il ne l'eût été quelques jours auparavant. Enfin il se vit contraint d'avouer que l'explication lui paraissait satisfaisante. – Mais Colomba s'écria avec force :

« Tomaso Bianchi est un fourbe. Il ne sera pas condamné, ou il s'échappera de prison, j'en suis sûre. »

Le préfet haussa les épaules.

« Je vous ai fait part, monsieur, dit-il, des renseignements que j'ai reçus. Je me retire, et je vous abandonne à vos réflexions. J'attendrai que votre raison vous ait éclairé, et j'espère qu'elle sera plus puissante que les... suppositions de votre sœur. »

Orso, après quelques paroles pour excuser Colomba, répéta qu'il croyait maintenant que Tomaso était le seul coupable.

Le préfet s'était levé pour sortir.

« S'il n'était pas si tard, dit-il, je vous proposerais de venir avec moi prendre la lettre de Miss Nevil... Par la même occasion, vous pourriez dire à M. Barricini ce que vous venez de me dire, et tout serait fini.

– Jamais Orso della Rebbia n'entrera chez un Barricini ! s'écria Colomba avec impétuosité.

– Mademoiselle est le *tintinajo* [1] de la famille ; à ce qu'il paraît, dit le préfet d'un air de raillerie.

---

1. On appelle ainsi le bélier porteur d'une sonnette qui conduit le troupeau, et, par métaphore, on donne le même nom au membre d'une famille qui la dirige dans toutes les affaires importantes.

– Monsieur, dit Colomba d'une voix ferme, on vous trompe. Vous ne connaissez pas l'avocat. C'est le plus rusé, le plus fourbe des hommes. Je vous en conjure, ne faites pas faire à Orso une action qui le couvrirait de honte.

– Colomba ! s'écria Orso, la passion te fait déraisonner.

– Orso ! Orso ! par la cassette que je vous ai remise, je vous en supplie, écoutez-moi. Entre vous et les Barricini il y a du sang ; vous n'irez pas chez eux !

– Ma sœur !

– Non, mon frère, vous n'irez point, ou je quitterai cette maison, et vous ne me reverrez plus... Orso, ayez pitié de moi. »

Et elle tomba à genoux.

– « Je suis désolé, dit le préfet, de voir Mlle della Rebbia si peu raisonnable. Vous la convaincrez, j'en suis sûr. »

Il entrouvrit la porte et s'arrêta, paraissant attendre qu'Orso le suivît.

« Je ne puis la quitter maintenant, dit Orso... Demain, si...

– Je pars de bonne heure, dit le préfet.

– Au moins, mon frère, s'écria Colomba les mains jointes, attendez jusqu'à demain matin. Laissez-moi revoir les papiers de mon père... Vous ne pouvez me refuser cela !

– Eh bien, tu les verras ce soir, mais au moins tu ne me tourmenteras plus ensuite avec cette haine extravagante... Mille pardons, monsieur le préfet...

je me sens moi-même si mal à mon aise... Il vaut mieux que ce soit demain.

– La nuit porte conseil, dit le préfet en se retirant, j'espère que demain toutes vos irrésolutions auront cessé.

– Saveria, s'écria Colomba, prends la lanterne et accompagne M. le préfet. Il te remettra une lettre pour mon frère. »

Elle ajouta quelques mots que Saveria seule entendit.

« Colomba, dit Orso lorsque le préfet fut parti, tu m'as fait beaucoup de peine. Te refuseras-tu donc toujours à l'évidence ?

– Vous m'avez donné jusqu'à demain, répondit-elle. J'ai bien peu de temps, mais j'espère encore. »

Puis elle prit un trousseau de clefs et courut dans une chambre de l'étage supérieur. Là, on l'entendit ouvrir précipitamment des tiroirs et fouiller dans un secrétaire où le colonel della Rebbia enfermait autrefois ses papiers importants.

CHAPITRE XIV

Saveria fut longtemps absente, et l'impatience d'Orso était à son comble lorsqu'elle reparut enfin, tenant une lettre, et suivie de la petite Chilina, qui se frottait les yeux, car elle avait été réveillée de son premier somme.

« Enfant, dit Orso, que viens-tu faire ici à cette heure ?

– Mademoiselle me demande », répondit Chilina.

« Que diable lui veut-elle ? » pensa Orso ; mais il se hâta de décacheter la lettre de Miss Lydia, et, pendant qu'il lisait, Chilina montait auprès de sa sœur.

« Mon père a été un peu malade, monsieur, disait Miss Nevil, et il est d'ailleurs si paresseux pour écrire, que je suis obligée de lui servir de secrétaire. L'autre jour, vous savez qu'il s'est mouillé les pieds sur le bord de la mer, au lieu d'admirer le paysage avec nous, et il n'en faut pas davantage pour donner la fièvre dans votre charmante île. Je vois d'ici la mine que vous faites ; vous cherchez sans doute votre stylet, mais j'espère que vous n'en avez plus. Donc, mon père a eu un peu la fièvre, et moi beaucoup de frayeur ; le préfet, que je persiste à trouver très aimable, nous a donné un médecin fort aimable aussi, qui, en deux jours, nous a tirés de peine : l'accès n'a pas reparu, et mon père veut retourner à la chasse ; mais je la lui défends encore. – Comment avez-vous trouvé votre château des montagnes ? Votre tour du nord est-elle toujours à la même place ? Y a-t-il bien des fantômes ? Je vous demande tout cela, parce que mon père se souvient que vous lui avez promis daims, sangliers, mouflons... Est-ce bien là le nom de cette bête étrange ? En allant nous embarquer à Bastia, nous comptons vous demander l'hospitalité, et j'espère que le château della Rebbia,

que vous dites si vieux et si délabré, ne s'écroulera
pas sur nos têtes. Quoique le préfet soit si aimable
qu'avec lui on ne manque jamais de sujet de
conversation, *by the bye,* je me flatte de lui avoir fait
tourner la tête. – Nous avons parlé de votre
seigneurie. Les gens de loi de Bastia lui ont envoyé
certaines révélations d'un coquin qu'ils tiennent sous
les verrous, et qui sont de nature à détruire vos
derniers soupçons ; votre inimitié, qui parfois
m'inquiétait, doit cesser dès lors. Vous n'avez pas
d'idée comme cela m'a fait plaisir. Quand vous êtes
parti avec la belle vocératrice, le fusil à la main, le
regard sombre, vous m'avez paru plus Corse qu'à
l'ordinaire... trop Corse même. *Basta !* je vous en
écris si long, parce que je m'ennuie. Le préfet va
partir, hélas ! Nous vous enverrons un message
lorsque nous nous mettrons en route pour vos
montagnes, et je prendrai la liberté d'écrire à
Mlle Colomba pour lui demander un bruccio, *ma
solenne.* En attendant, dites-lui mille tendresses. Je fais
grand usage de son stylet, j'en coupe les feuillets
d'un roman que j'ai apporté ; mais ce fer terrible
s'indigne de cet usage et me déchire mon livre d'une
façon pitoyable. Adieu, monsieur ; mon père vous
envois *his best love.* Écoutez le préfet, il est homme
de bon conseil, et se détourne de sa route, je crois,
à cause de vous ; il va poser une première pierre à
Corte ; je m'imagine que ce doit être une cérémonie
bien imposante, et je regrette fort de n'y pas assister.
Un monsieur en habit brodé, bas de soie, écharpe
blanche, tenant une truelle !... et un discours ; la

cérémonie se terminera par les cris mille fois répétés de *vive le roi !* – Vous allez être bien fat de m'avoir fait remplir les quatre pages ; mais je m'ennuie, monsieur, je vous le répète, et, par cette raison, je vous permets de m'écrire très longuement. A propos, je trouve extraordinaire que vous ne m'ayez pas encore mandé votre heureuse arrivée dans Pietranera Castle.

LYDIA.

« *P. S.* Je vous demande d'écouter le préfet, et de faire ce qu'il vous dira. Nous avons arrêté ensemble que vous deviez en agir ainsi, et cela me fera plaisir. »

Orso lut trois ou quatre fois cette lettre accompagnant mentalement chaque lecture de commentaires sans nombre ; puis il fit une longue réponse, qu'il chargea Saveria de porter à un homme du village qui partait la nuit même pour Ajaccio. Déjà il ne pensait guère à discuter avec sa sœur les griefs vrais ou faux des Barricini, la lettre de Miss Lydia lui faisait tout voir en couleur de rose ; il n'avait plus ni soupçons, ni haine. Après avoir attendu quelque temps que sa sœur redescendît, et ne la voyant pas reparaître, il alla se coucher, le cœur plus léger qu'il ne s'était senti depuis longtemps. Chilina ayant été congédiée avec des instructions secrètes, Colomba passa la plus grande partie de la nuit à lire de vieilles paperasses. Un peu avant le jour, quelques petits cailloux furent lancés contre sa fenêtre ; à ce signal, elle descendit au jardin, ouvrit une porte dérobée, et introduisit dans sa maison deux hommes de fort mauvaise mine ; son premier soin fut de les mener à la cuisine et de leur donner à manger. Ce qu'étaient ces hommes, on le saura tout à l'heure.

CHAPITRE XV

Le matin, vers six heures, un domestique du préfet frappait à la maison d'Orso. Reçu par Colomba, il lui dit que le préfet allait partir, et qu'il attendait son frère. Colomba répondit sans hésiter que son frère venait de tomber dans l'escalier et de se fouler le pied ; qu'étant hors d'état de faire un pas, il suppliait M. le préfet de l'excuser, et serait très reconnaissant s'il daignait prendre la peine de passer chez lui. Peu après ce message, Orso descendit et demanda à sa sœur si le préfet ne l'avait pas envoyé chercher.

« Il vous prie de l'attendre ici », dit-elle avec la plus grande assurance.

Une demi-heure s'écoula sans qu'on aperçût le moindre mouvement du côté de la maison des Barricini ; cependant Orso demandait à Colomba si elle avait fait quelque découverte ; elle répondit qu'elle s'expliquerait devant le préfet. Elle affectait un grand calme, mais son teint et ses yeux annonçaient une agitation fébrile.

Enfin, on vit s'ouvrir la porte de la maison Barricini ; le préfet, en habit de voyage, sortit le premier, suivi du maire et de ses deux fils. Quelle fut la stupéfaction des habitants de Pietranera, aux aguets depuis le lever du soleil, pour assister au départ du premier magistrat du département, lorsqu'ils le virent, accompagné des trois Barricini, traverser la place en droite ligne et entrer dans la maison della Rebbia. « Ils font la paix ! » s'écrièrent les politiques du village.

« Je vous le disais bien, ajouta un vieillard, Orso Antonio a trop vécu sur le continent pour faire les choses comme un homme de cœur.

– Pourtant, répondit un rebbianiste, remarquez que ce sont les Barricini qui viennent le trouver. Ils demandent grâce.

– C'est le préfet qui les a tous embobelinés, répliqua le vieillard ; on n'a plus de courage aujourd'hui, et les jeunes gens se soucient du sang de leur père comme s'ils étaient tous des bâtards. »

Le préfet ne fut pas médiocrement surpris de trouver Orso debout et marchant sans peine. En deux mots, Colomba s'accusa de son mensonge et lui en demanda pardon :

« Si vous aviez demeuré ailleurs, monsieur le préfet, dit-elle, mon frère serait allé hier vous présenter ses respects. »

Orso se confondait en excuses, protestant qu'il n'était pour rien dans cette ruse ridicule, dont il était profondément mortifié. Le préfet et le vieux Barricini parurent croire à la sincérité de ses regrets, justifiés d'ailleurs par sa confusion et les reproches qu'il adressait à sa sœur ; mais les fils du maire ne parurent pas satisfaits :

« On se moque de nous, dit Orlanduccio, assez haut pour être entendu.

– Si ma sœur me jouait de ces tours, dit Vincentello, je lui ôterais bien vite l'envie de recommencer. »

Ces paroles, et le ton dont elles furent prononcées, déplurent à Orso et lui firent perdre un peu de sa bonne volonté. Il échangea avec les jeunes Barricini des regards où ne se peignait nulle bienveillance.

Cependant, tout le monde étant assis, à l'exception de Colomba, qui se tenait debout près de la porte de la cuisine, le préfet prit la parole, et, après quelques lieux communs sur les préjugés du pays, rappela que la plupart des inimitiés les plus invétérées n'avaient pour cause que des malentendus. Puis, s'adressant au maire, il lui dit que M. della Rebbia n'avait jamais cru que la famille Barricini eût pris une part directe ou indirecte dans l'événement déplorable qui l'avait privé de son père ; qu'à la vérité il avait conservé quelques doutes relatifs à une particularité du procès qui avait existé entre les deux familles ; que ce doute s'excusait par la longue absence de M. Orso et la nature des renseignements qu'il avait reçus ; qu'éclairé maintenant par des révélations récentes, il se tenait pour complètement satisfait, et désirait établir avec M. Barricini et ses fils des relations d'amitié et de bon voisinage.

Orso s'inclina d'un air contraint ; M. Barricini

balbutia quelques mots que personne n'entendit ; ses
fils regardèrent les poutres du plafond. Le préfet,
continuant sa harangue, allait adresser à Orso la
contrepartie de ce qu'il venait de débiter à M. Barricini, lorsque Colomba, tirant de dessous son fichu
quelques papiers, s'avança gravement entre les
parties contractantes :

« Ce serait avec un bien vif plaisir, dit-elle, que
je verrais finir la guerre entre nos deux familles ; mais
pour que la réconciliation soit sincère, il faut
s'expliquer et ne rien laisser dans le doute. –
Monsieur le préfet, la déclaration de Tomaso Bianchi
m'était à bon droit suspecte, venant d'un homme
aussi mal famé. – J'ai dit que vos fils peut-être avaient
vu cet homme dans la prison de Bastia.

– Cela est faux, interrompit Orlanduccio, je ne l'ai
point vu. »

Colomba lui jeta un regard de mépris, et poursuivit
avec beaucoup de calme en apparence :

« Vous avez expliqué l'intérêt que pouvait avoir
Tomaso à menacer M. Barricini au nom d'un bandit
redoutable, par le désir qu'il avait de conserver à son
frère Théodore le moulin que mon père lui louait
à bas prix ?...

– Cela est évident, dit le préfet.

– De la part d'un misérable comme paraît être ce
Bianchi, tout s'explique, dit Orso, trompé par l'air
de modération de sa sœur.

– La lettre contrefaite, continua Colomba, dont les
yeux commençaient à briller d'un éclat plus vif, est

datée du 11 juillet. Tomaso était alors chez son frère au moulin.

– Oui, dit le maire un peu inquiet.

– Quel intérêt avait donc Tomaso Bianchi ? s'écria Colomba d'un air de triomphe. Le bail de son frère était expiré, mon père lui avait donné congé le 1er juillet. Voici le registre de mon père, la minute de congé, la lettre d'un homme d'affaires d'Ajaccio qui nous proposait un nouveau meunier. »

En parlant ainsi, elle remit au préfet les papiers qu'elle tenait à la main.

Il y eut un moment d'étonnement général. Le maire pâlit visiblement ; Orso, fronçant le sourcil, s'avança pour prendre connaissance des papiers que le préfet lisait avec beaucoup d'attention.

« On se moque de nous ! s'écria de nouveau Orlanduccio en se levant avec colère. Allons-nous-en, mon père, nous n'aurions jamais dû venir ici ! »

Un instant suffit à M. Barricini pour reprendre son sang-froid. Il demanda à examiner les papiers ; le préfet les lui remit sans dire un mot. Alors, relevant ses lunettes vertes sur son front, il les parcourut d'un air assez indifférent, pendant que Colomba l'observait avec les yeux d'une tigresse qui voit un daim s'approcher de la tanière de ses petits.

« Mais, dit M. Barricini rabaissant ses lunettes et rendant les papiers au préfet, – connaissant la bonté de feu M. le colonel... Tomaso a pensé... il a dû penser... que M. le colonel reviendrait sur sa résolution de lui donner congé... De fait, il est resté en possession du moulin, donc...

– C'est moi, dit Colomba d'un ton de mépris, qui le lui ai conservé. Mon père était mort, et dans ma position, je devais ménager les clients de ma famille.

– Pourtant, dit le préfet, ce Tomaso reconnaît qu'il a écrit la lettre..., cela est clair.

– Ce qui est clair pour moi, interrompit Orso, c'est qu'il y a de grandes infamies cachées dans toute cette affaire.

– J'ai encore à contredire une assertion de ces messieurs », dit Colomba.

Elle ouvrit la porte de la cuisine, et aussitôt entrèrent dans la salle Brandolaccio, le licencié en théologie et le chien Brusco. Les deux bandits étaient sans armes, au moins apparentes ; ils avaient la cartouchière à la ceinture, mais point le pistolet qui en est le complément obligé. En entrant dans la salle, ils ôtèrent respectueusement leurs bonnets.

On peut concevoir l'effet que produisit leur subite apparition. Le maire pensa tomber à la renverse ; ses fils se jetèrent bravement devant lui, la main dans la poche de leur habit, cherchant leurs stylets Le préfet fit un mouvement vers la porte, tandis qu'Orso, saisissant Brandolaccio au collet lui cria :

« Que viens-tu faire ici, misérable ?

– C'est un guet-apens ! » s'écria le maire essayant d'ouvrir la porte ; mais Saveria l'avait fermée en dehors à double tour, d'après l'ordre des bandits, comme on le sut ensuite.

« Bonnes gens ! dit Brandolaccio, n'ayez pas peur de moi ; je ne suis pas si diable que je suis noir. Nous n'avons nulle mauvaise intention. Monsieur le préfet, je suis bien votre serviteur. – Mon lieutenant, de la douceur, vous m'étranglez. – Nous venons ici comme témoins. Allons, parle, toi, Curé, tu as la langue bien pendue.

– Monsieur le préfet, dit le licencié, je n'ai pas l'honneur d'être connu de vous. Je m'appelle Giocanto Castriconi, plus connu sous le nom du Curé... Ah ! vous me remettez ! Mademoiselle, que je n'avais pas l'avantage de connaître non plus, m'a fait prier de lui donner des renseignements sur un nommé Tomaso Bianchi, avec lequel j'étais détenu, il y a trois semaines, dans les prisons de Bastia. Voici ce que j'ai à vous dire...

– Ne prenez pas cette peine, dit le préfet ; je n'ai rien à entendre d'un homme comme vous... Monsieur della Rebbia, j'aime à croire que vous n'êtes pour rien dans cet odieux complot. Mais êtes-vous maître chez vous ? Faites ouvrir cette porte. Votre sœur aura peut-être à rendre compte des étranges relations qu'elle entretient avec des bandits.

– Monsieur le préfet, s'écria Colomba, daignez entendre ce que va dire cet homme. Vous êtes ici pour rendre justice à tous, et votre devoir est de rechercher la vérité. Parle, Giocanto Castriconi.

– Ne l'écoutez pas ! s'écrièrent en chœur les trois Barricini.

– Si tout le monde parle à la fois, dit le bandit en souriant, ce n'est pas le moyen de s'entendre. Dans la prison donc, j'avais pour compagnon, non pour ami, ce Tomaso en question. Il recevait de fréquentes visites de M. Orlanduccio...

– C'est faux, s'écrièrent à la fois les deux frères.

– Deux négations valent une affirmation, observa froidement Castriconi. Tomaso avait de l'argent ; il mangeait et buvait du meilleur. J'ai toujours aimé la bonne chère (c'est là mon moindre défaut), et, malgré ma répugnance à frayer avec ce drôle, je me laissai aller à dîner plusieurs fois avec lui. Par reconnaissance, je lui proposai de s'évader avec moi... Une petite... pour qui j'avais eu des bontés, m'en avait fourni les moyens... Je ne veux compromettre personne. Tomaso refusa, me dit qu'il était sûr de son affaire, que l'avocat Barricini l'avait recommandé à tous les juges, qu'il sortirait de là blanc comme neige et avec de l'argent en poche. Quant à moi, je crus devoir prendre l'air. *Dixi.*

– Tout ce que dit cet homme est un tas de mensonges, répéta résolument Orlanduccio. Si nous étions en rase campagne, chacun avec notre fusil, il ne parlerait pas de la sorte.

– En voilà une de bêtise ! s'écria Brandolaccio. Ne vous brouillez pas avec le Curé, Orlanduccio.

– Me laisserez-vous sortir enfin, monsieur della Rebbia ? dit le préfet frappant du pied d'impatience.

– Saveria ! Saveria ! criait Orso, ouvrez la porte, de par le diable !

– Un instant, dit Brandolaccio. Nous avons d'abord à filer, nous, de notre côté. Monsieur le préfet, il est d'usage, quand on se rencontre chez des amis communs, de se donner une demi-heure de trêve en se quittant. »

Le préfet lui lança un regard de mépris.

« Serviteur à toute la compagnie », dit Brandolaccio. Puis étendant le bras horizontalement : « Allons,
Brusco, dit-il à son chien, saute pour M. le préfet ! »

Le chien sauta, les bandits reprirent à la hâte leurs
armes dans la cuisine, s'enfuirent par le jardin, et
à un coup de sifflet aigu la porte de la salle s'ouvrit
comme par enchantement.

« Monsieur Barricini, dit Orso avec une fureur
concentrée, je vous tiens pour un faussaire. Dès
aujourd'hui j'enverrai ma plainte contre vous au
procureur du roi, pour faux et pour complicité avec
Bianchi. Peut-être aurai-je encore une plainte plus
terrible à porter contre vous.

— Et moi, monsieur della Rebbia, dit le maire, je
porterai ma plainte contre vous pour guet-apens et
pour complicité avec des bandits. En attendant, M. le
préfet vous recommandera à la gendarmerie.

— Le préfet fera son devoir, dit celui-ci d'un ton
sévère. Il veillera à ce que l'ordre ne soit pas troublé
à Pietranera, il prendra soin que justice soit faite.
Je parle à vous tous, messieurs. »

Le maire et Vincentello étaient déjà hors de la
salle, et Orlanduccio les suivit à reculons lorsque
Orso lui dit à voix basse :

« Votre père est un vieillard que j'écraserais d'un
soufflet : c'est à vous que j'en destine, à vous et à
votre frère. »

Pour réponse, Orlanduccio tira son stylet et se jeta
sur Orso comme un furieux ; mais, avant qu'il pût
faire usage de son arme, Colomba lui saisit le bras
qu'elle tordit avec force pendant qu'Orso, le frappant

du poing au visage, le fit reculer quelques pas et heurter rudement contre le chambranle de la porte. Le stylet échappa de la main d'Orlanduccio, mais Vincentello avait le sien et rentrait dans la chambre, lorsque Colomba, sautant sur un fusil, lui prouva que la partie n'était pas égale. En même temps le préfet se jeta entre les combattants.

« A bientôt, Ors' Anton' », cria Orlanduccio ; et, tirant violemment la porte de la salle, il la ferma à clef pour se donner le temps de faire retraite.

Orso et le préfet demeurèrent un quart d'heure sans parler, chacun à un bout de la salle. Colomba, l'orgueil du triomphe sur le front, les considérait tour à tour, appuyée sur le fusil qui avait décidé de la victoire.

« Quel pays ! quel pays ! s'écria enfin le préfet en se levant impétueusement. Monsieur della Rebbia, vous avez eu tort. Je vous demande votre parole d'honneur de vous abstenir de toute violence et d'attendre que la justice décide dans cette maudite affaire.

— Oui, monsieur le préfet, j'ai eu tort de frapper ce misérable ; mais enfin j'ai frappé, et je ne puis lui refuser la satisfaction qu'il m'a demandée.

— Eh ! non, il ne veut pas se battre avec vous !... Mais s'il vous assassine... Vous avez bien fait tout ce qu'il fallait pour cela.

— Nous nous garderons, dit Colomba.

— Orlanduccio, dit Orso, me paraît un garçon de courage et j'augure mieux que lui, monsieur le préfet. Il a été prompt à tirer son stylet, mais à sa place, j'en aurais peut-être agi de même ; et je suis heureux que ma sœur n'ait pas un poignet de petite-maîtresse.

– Vous ne vous battrez pas ! s'écria le préfet ; je vous le défends !

– Permettez-moi de vous dire, monsieur, qu'en matière d'honneur je ne reconnais d'autre autorité que celle de ma conscience.

– Je vous dis que vous ne vous battrez pas !

– Vous pouvez me faire arrêter, monsieur..., c'est-à-dire si je me laisse prendre. Mais, si cela arrivait, vous ne feriez que différer une affaire maintenant inévitable. Vous êtes homme d'honneur, monsieur le préfet, et vous savez bien qu'il n'en peut être autrement.

– Si vous faisiez arrêter mon frère, ajouta Colomba, la moitié du village prendrait son parti, et nous verrions une belle fusillade.

– Je vous préviens, monsieur, dit Orso, et je vous supplie de ne pas croire que je fais une bravade ; je vous préviens que, si M. Barricini abuse de son autorité de maire pour me faire arrêter, je me défendrai.

– Dès aujourd'hui, dit le préfet, M. Barricini est suspendu de ses fonctions... Il se justifiera, je l'espère... Tenez, monsieur, vous m'intéressez. Ce que je vous demande est bien peu de chose : restez chez vous tranquille jusqu'à mon retour de Corte. Je ne serai que trois jours absent. Je reviendrai avec le procureur du roi, et nous débrouillerons alors complètement cette triste affaire. Me promettez-vous de vous abstenir jusque-là de toute hostilité ?

– Je ne puis le promettre, monsieur, si, comme je le pense, Orlanduccio me demande une rencontre.

– Comment ! monsieur della Rebbia, vous, militaire français vous voulez vous battre avec un homme que vous soupçonnez d'un faux ?

– Je l'ai frappé, monsieur.

– Mais, si vous aviez frappé un galérien et qu'il vous en demandât raison, vous vous battriez donc avec lui ? Allons, monsieur Orso ! Eh bien, je vous demande encore moins : ne cherchez pas Orlanduccio... je vous permets de vous battre s'il vous demande un rendez-vous.

– Il m'en demandera, je n'en doute point, mais je vous promets de ne pas lui donner d'autres soufflets pour l'engager à se battre.

– Quel pays ! répétait le préfet en se promenant à grands pas. Quand donc reviendrai-je en France ?

– Monsieur le préfet, dit Colomba de sa voix la plus douce, il se fait tard, nous feriez-vous l'honneur de déjeuner ici ?

Le préfet ne put s'empêcher de rire.

« Je suis demeuré déjà trop longtemps ici... cela ressemble à de la partialité... Et cette maudite pierre !... Il faut que je parte... Mademoiselle della Rebbia..., que de malheurs vous avez préparés aujourd'hui !

– Au moins, monsieur le préfet, vous rendrez à ma sœur la justice de croire que ses convictions sont profondes ; et, j'en suis sûr maintenant, vous les croyez vous-même bien établies.

– Adieu, monsieur, dit le préfet en lui faisant un signe de la main. Je vous préviens que je vais donner l'ordre au brigadier de gendarmerie de suivre toutes vos démarches. »

Lorsque le préfet fut sorti :

« Orso, dit Colomba, vous n'êtes point ici sur le continent. Orlanduccio n'entend rien à vos duels, et d'ailleurs ce n'est pas de la mort d'un brave que ce misérable doit mourir.

– Colomba, ma bonne, tu es la femme forte. Je t'ai de grandes obligations pour m'avoir sauvé un bon coup de couteau. Donne-moi ta petite main que je la baise. Mais, vois-tu, laisse-moi faire. Il y a certaines choses que tu n'entends pas. Donne-moi à déjeuner ; et, aussitôt que le préfet se sera mis en route, fais-moi venir la petite Chilina qui paraît s'acquitter à merveille des commissions qu'on lui donne. J'aurai besoin d'elle pour porter une lettre. »

Pendant que Colomba surveillait les apprêts du déjeuner, Orso monta dans sa chambre et écrivit le billet suivant :

« Vous devez être pressé de me rencontrer ; je ne le suis pas moins. Demain matin nous pourrons nous trouver à six heures dans la vallée d'Acquaviva. Je suis très adroit au pistolet, et je ne vous propose pas cette arme. On dit que vous tirez bien le fusil : prenons chacun un fusil à deux coups. Je viendrai accompagné d'un homme de ce village. Si votre frère

veut vous accompagner, prenez un second témoin
et prévenez-moi. Dans ce cas seulement j'aurai deux
témoins.

« ORSO ANTONIO DELLA REBBIA. »

Le préfet, après être resté une heure chez l'adjoint
du maire, après être entré pour quelques minutes
chez les Barricini, partit pour Corte, escorté d'un seul
gendarme. Un quart d'heure après, Chilina porta la
lettre qu'on vient de lire et la remit à Orlanduccio
en propres mains.

La réponse se fit attendre et ne vint que dans la
soirée. Elle était signée de M. Barricini père, et il
annonçait à Orso qu'il déférait au procureur du roi
la lettre de menace adressée à son fils. « Fort de
ma conscience, ajoutait-il en terminant, j'attends que
la justice ait prononcé sur vos calomnies. »

Cependant cinq ou six bergers mandés par
Colomba arrivèrent pour garnisonner la tour des
della Rebbia. Malgré les protestations d'Orso, on
pratiqua des *archere* aux fenêtres donnant sur la place,
et toute la soirée il reçut des offres de service de
différentes personnes du bourg. Une lettre arriva
même du théologien bandit, qui promettait, en son
nom et en celui de Brandolaccio, d'intervenir si le
maire se faisait assister de la gendarmerie. Il finissait
par ce *post scriptum :* « Oserai-je vous demander ce
que pense M. le préfet de l'excellente éducation que
mon ami donne au chien Brusco ? Après Chilina, je
ne connais pas d'élève plus docile et qui montre de
plus heureuses dispositions. »

CHAPITRE XVI

Le lendemain se passa sans hostilités. De part et d'autre on se tenait sur la défensive. Orso ne sortit pas de sa maison, et la porte des Barricini resta constamment fermée. On voyait les cinq gendarmes laissés en garnison à Pietranera se promener sur la place ou aux environs du village, assistés du garde champêtre, seul représentant de la milice urbaine. L'adjoint ne quittait pas son écharpe ; mais, sauf les *archere* aux fenêtres des deux maisons ennemies, rien n'indiquait la guerre. Un Corse seul aurait remarqué que sur la place, autour du chêne vert, on ne voyait que des femmes.

A l'heure du souper, Colomba montra d'un air joyeux à son frère la lettre suivante qu'elle venait de recevoir de Miss Nevil :

« Ma chère mademoiselle Colomba, j'apprends avec bien du plaisir, par une lettre de votre frère, que vos inimitiés sont finies. Recevez-en mes compliments. Mon père ne peut plus souffrir Ajaccio depuis que votre frère n'est plus là pour parler guerre et chasser avec lui. Nous partons aujourd'hui, et nous irons coucher chez votre parente, pour laquelle nous avons une lettre. Après-demain, vers onze heures, je viendrai vous demander à goûter de ce bruccio

des montagnes, si supérieur, dites-vous, à celui de
la ville.

« Adieu, chère mademoiselle Colomba.

« Votre amie,

« LYDIA NEVIL. »

« Elle n'a donc pas reçu ma seconde lettre ? s'écria
Orso.

– Vous voyez, par la date de la sienne, que
Mlle Lydia devait être en route quand votre lettre
est arrivée à Ajaccio. Vous lui disiez donc de ne pas
venir ?

– Je lui disais que nous étions en état de siège.
Ce n'est pas, ce me semble, une situation à recevoir
du monde.

– Bah ! ces Anglais sont des gens singuliers. Elle
me disait, la dernière nuit que j'ai passée dans sa
chambre, qu'elle serait fâchée de quitter la Corse
sans avoir vu une belle vendette. Si vous le vouliez,
Orso, on pourrait lui donner le spectacle d'un assaut
contre la maison de nos ennemis ?

– Sais-tu, dit Orso, que la nature a eu tort de faire
de toi une femme, Colomba ? Tu aurais été un
excellent militaire.

– Peut-être. En tout cas je vais faire mon bruccio.

– C'est inutile. Il faut envoyer quelqu'un pour les
prévenir et les arrêter avant qu'ils se mettent en
route.

– Oui ? vous voulez envoyer un messager par le
temps qu'il fait, pour qu'un torrent l'emporte avec
votre lettre... Que je plains les pauvres bandits par

cet orage ! Heureusement, ils ont de bons *piloni* [1].
Savez-vous ce qu'il faut faire, Orso ? Si l'orage cesse,
partez demain de très bonne heure, et arrivez chez
notre parente avant que vos amis se soient mis en
route. Cela vous sera facile, Miss Lydia se lève
toujours tard ? Vous leur conterez ce qui s'est passé
chez nous ; et s'ils persistent à venir, nous aurons
grand plaisir à les recevoir. »

Orso se hâta de donner son assentiment à ce
projet, et Colomba, après quelques moments de
silence :

« Vous croyez peut-être, Orso, reprit-elle, que je
plaisantais lorsque je vous parlais d'un assaut contre
la maison Barricini ? Savez-vous que nous sommes
en force, deux contre un au moins ? Depuis que le
préfet a suspendu le maire, tous les hommes d'ici
sont pour nous. Nous pourrions les hacher. Il serait
facile d'entamer l'affaire. Si vous le vouliez, j'irais à
la fontaine, je me moquerais de leurs femmes ; ils
sortiraient... Peut-être... car ils sont si lâches !
peut-être tireraient-ils sur moi par leurs *archere* ; ils
me manqueraient. Tout est dit alors : ce sont eux
qui attaquent. Tant pis pous les vaincus : dans une
bagarre où trouver ceux qui ont fait un bon coup ?
Croyez-en votre sœur, Orso ; les robes noires qui
vont venir saliront du papier, diront bien des mots
inutiles. Il n'en résultera rien. Le vieux renard
trouverait moyen de leur faire voir des étoiles en
plein midi. Ah ! si le préfet ne s'était pas mis devant
Vincentello, il y en avait un de moins. »

1. Manteau de drap très épais garni d'un capuchon.

Tout cela était dit avec le même sang-froid qu'elle mettait l'intant d'auparavant à parler des préparatifs du bruccio.

Orso, stupéfait, regardait sa sœur avec une admiration mêlée de crainte.

« Ma douce Colomba, dit-il en se levant de table, tu es, je le crains, le diable en personne ; mais sois tranquille. Si je ne parviens pas à faire prendre les Barricini, je trouverai moyen d'en venir à bout d'une autre manière. Balle chaude ou fer froid[1] ! tu vois que je n'ai pas oublié le corse.

– Le plus tôt serait le mieux, dit Colomba en soupirant. Quel cheval monterez-vous demain, Ors'Anton' ?

– Le noir. Pourquoi me demandes-tu cela ?

– Pour lui faire donner de l'orge. »

Orso s'étant retiré dans sa chambre, Colomba envoya coucher Saveria et les bergers, et demeura seule dans la cuisine où se préparait le bruccio. De temps en temps elle prêtait l'oreille et paraissait attendre impatiemment que son frère se fût couché. Lorsqu'elle le crut enfin endormi, elle prit un couteau, s'assura qu'il était tranchant, mit ses petits pieds dans de gros souliers, et, sans faire le moindre bruit, elle entra dans le jardin.

Le jardin, fermé de murs, touchait à un terrain assez vaste, enclos de haies, où l'on mettait les chevaux, car les chevaux corses ne connaissent guère l'écurie. En général on les lâche dans un champ et

_____

1. *Palla calda u farru freddu*, locution très usitée.

l'on s'en rapporte à leur intelligence pour trouver à se nourrir et à s'abriter contre le froid et la pluie.

Colomba ouvrit la porte du jardin avec la même précaution, entra dans l'enclos, et en sifflant doucement elle attira près d'elle les chevaux, à qui elle portait souvent du pain et du sel. Dès que le cheval noir fut à sa portée, elle le saisit fortement par la crinière et lui fendit l'oreille avec son couteau. Le cheval fit un bond terrible et s'enfuit en faisant entendre ce cri aigu qu'une vive douleur arrache quelquefois aux animaux de son espèce. Satisfaite alors, Colomba rentrait dans le jardin, lorsque Orso ouvrit sa fenêtre et cria : « Qui va là ? » En même temps elle entendit qu'il armait son fusil. Heureusement pour elle, la porte du jardin était dans une obscurité complète, et un grand figuier la couvrait en partie. Bientôt, aux lueurs intermittentes qu'elle vit briller dans la chambre de son frère, elle conclut qu'il cherchait à rallumer sa lampe. Elle s'empressa alors de fermer la porte du jardin, et se glissant le long des murs, de façon que son costume noir se confondît avec le feuillage sombre des espaliers, elle parvint à rentrer dans la cuisine quelques moments avant qu'Orso ne parût.

Qu'y a-t-il ? lui demanda-t-elle.

— Il m'a semblé, dit Orso, qu'on ouvrait la porte du jardin.

— Impossible. Le chien aurait aboyé. Au reste, allons voir. »

Orso fit le tour du jardin, et après avoir constaté que la porte extérieure était bien fermée, un peu honteux de cette fausse alerte, il se disposa à regagner sa chambre.

« J'aime à voir, mon frère, dit Colomba, que vous devenez prudent, comme on doit l'être dans votre position.

– Tu me formes, répondit Orso. Bonsoir. »

Le matin avec l'aube Orso s'était levé, prêt à partir. Son costume annonçait à la fois la prétention à l'élégance d'un homme qui va se présenter devant une femme à qui il veut plaire, et la prudence d'un Corse en vendette. Par-dessus une redingote bleue bien serrée à la taille, il portait en bandoulière une petite boîte de fer-blanc contenant des cartouches, suspendue à un cordon de soie verte ; son stylet était placé dans une poche de côté, et il tenait à la main le beau fusil de Manton chargé à balles. Pendant qu'il prenait à la hâte une tasse de café versée par Colomba, un berger était sorti pour seller et brider le cheval. Orso et sa sœur le suivirent de près et entrèrent dans l'enclos. Le berger s'était emparé du cheval, mais il avait laissé tomber selle et bride, et paraissait saisi d'horreur, pendant que le cheval, qui se souvenait de la blessure de la nuit précédente et qui craignait pour son autre oreille, se cabrait, ruait, hennissait, faisait le diable à quatre.

« Allons, dépêche-toi, lui cria Orso.

– Ha ! Ors' Anton' ! ha ! Ors' Anton' ! s'écriait le berger, sang de la Madone ! etc. »

C'étaient des imprécations sans nombre et sans fin, dont la plupart ne pourraient se traduire.

« Qu'est-il donc arrivé ? » demanda Colomba.

Tout le monde s'approcha du cheval, et, le voyant sanglant et l'oreille fendue, ce fut une exclamation générale de surprise et d'indignation. Il faut savoir que mutiler le cheval de son ennemi est, pour les Corses, à la fois une vengeance, un défi et une menace de mort. « Rien qu'un coup de fusil n'est capable d'expier ce forfait. » Bien qu'Orso, qui avait longtemps vécu sur le continent, sentît moins qu'un autre l'énormité de l'outrage, cependant, si dans ce moment quelque barriciniste se fût présenté à lui, il est probable qu'il lui eût fait immédiatement expier une insulte qu'il attribuait à ses ennemis.

« Les lâches coquins ! s'écria-t-il, se venger sur une pauvre bête, lorsqu'ils n'osent me rencontrer en face !

– Qu'attendons-nous ? s'écria Colomba impétueusement. Ils viennent nous provoquer, mutiler nos chevaux et nous ne leur répondrions pas ! Êtes-vous hommes ?

– Vengeance ! répondirent les bergers. Promenons le cheval dans le village et donnons l'assaut à leur maison.

– Il y a une grange couverte de paille qui touche à leur tour, dit le vieux Polo Griffo, en un tour de main je la ferai flamber. »

Un autre proposait d'aller chercher les échelles du clocher de l'église ; un troisième, d'enfoncer les portes de la maison Barricini au moyen d'une poutre déposée sur la place et destinée à quelque bâtiment en construction. Au milieu de toutes ces voix furieuses, on entendait celle de Colomba annonçant à ses satellites qu'avant de se mettre à l'œuvre chacun allait recevoir d'elle un grand verre d'anisette.

Malheureusement, ou plutôt heureusement, l'effet qu'elle s'était promis de sa cruauté envers le pauvre cheval était perdu en grande partie pour Orso. Il ne doutait pas que cette mutilation sauvage ne fût l'œuvre d'un de ses ennemis, et c'était Orlanduccio qu'il soupçonnait particulièrement ; mais il ne croyait pas que ce jeune homme, provoqué et frappé par lui, eût effacé sa honte en fendant l'oreille à un cheval. Au contraire, cette basse et ridicule vengeance augmentait son mépris pour ses adversaires, et il pensait maintenant avec le préfet que de pareilles gens ne méritaient pas de se mesurer avec lui. Aussitôt qu'il put se faire entendre, il déclara à ses partisans confondus qu'ils eussent à renoncer à leurs intentions belliqueuses, et que la justice, qui allait venir, vengerait fort bien l'oreille de son cheval.

« Je suis le maître ici, ajouta-t-il d'un ton sévère, et j'entends qu'on m'obéisse. Le premier qui s'avisera de parler encore de tuer ou de brûler, je pourrai bien le brûler à son tour. Allons ! qu'on me selle le cheval gris.

— Comment, Orso, dit Colomba en le tirant à l'écart, vous souffrez qu'on nous insulte ! Du vivant de notre père, jamais les Barricini n'eussent osé mutiler une bête à nous.

— Je te promets qu'ils auront lieu de s'en repentir ; mais c'est aux gendarmes et aux geôliers à punir des misérables qui n'ont de courage que contre des animaux. Je te l'ai dit, la justice me vengera d'eux...

ou sinon... tu n'auras besoin de me rappeler de qui je suis fils...

– Patience ! dit Colomba en soupirant.

– Souviens-toi bien, ma sœur, poursuivit Orso, que si à mon retour, je trouve qu'on a fait quelque démonstration contre les Barricini, jamais je ne te le pardonnerai. » Puis, d'un ton plus doux : « Il est fort possible, fort probable même, ajouta-t-il, que je reviendrai ici avec le colonel et sa fille ; fais en sorte que leurs chambres soient en ordre, que le déjeuner soit bon, enfin que nos hôtes soient le moins mal possible. C'est très bien, Colomba, d'avoir du courage, mais il faut encore qu'une femme sache tenir une maison. Allons, embrasse-moi, sois sage ; voilà le cheval gris sellé.

– Orso, dit Colomba, vous ne partirez point seul.

– Je n'ai besoin de personne, dit Orso, et je te réponds que je ne me laisserai pas couper l'oreille.

– Oh ! jamais je ne vous laisserai partir seul en temps de guerre. Ho ! Polo Griffo ! Gian' Francè ! Memmo ! prenez vos fusils ; vous allez accompagner mon frère. »

Après une discussion assez vive, Orso dut se résigner à se faire suivre d'une escorte. Il prit parmi ses bergers les plus animés ceux qui avaient conseillé le plus haut de commencer la guerre ; puis, après avoir renouvelé ses injonctions à sa sœur et aux bergers restants, il se mit en route, prenant cette fois un détour pour éviter la maison Barricini.

Déjà ils étaient loin de Pietranera, et marchaient de grande hâte, lorsque au passage d'un petit

ruisseau qui se perdait dans un marécage le vieux
Polo Griffo aperçut plusieurs cochons confortablement couchés dans la boue, jouissant à la fois du
soleil et de la fraîcheur de l'eau. Aussitôt, ajustant
le plus gros, il lui tira un coup de fusil dans la tête
et le tua sur la place. Les camarades du mort se
levèrent et s'enfuirent avec une légèreté surpre-
nante ; et bien que l'autre berger fît feu à son tour,
ils gagnèrent sains et saufs un fourré où ils
disparurent.

« Imbéciles ! s'écria Orso ; vous prenez des
cochons pour des sangliers.

— Non pas, Ors'Anton', répondit Polo Griffo ;
mais, ce troupeau appartient à l'avocat, et c'est pour
lui apprendre à mutiler nos chevaux.

— Comment, coquins ! s'écria Orso transporté de
fureur, vous imitez les infamies de nos ennemis !
Quittez-moi, misérables ! Je n'ai pas besoin de vous.
Vous n'êtes bons qu'à vous battre contre des
cochons. Je jure bien que si vous osez me suivre je
vous casse la tête ! »

Les deux bergers s'entre-regardèrent interdits.
Orso donna des éperons à son cheval et disparut au
galop.

« Eh bien, dit Polo Griffo, en voilà d'une bonne !
Aimez donc les gens pour qu'ils vous traitent comme
cela ! Le colonel, son père, t'en a voulu parce que
tu as une fois couché en joue l'avocat... Grande bête,
de ne pas tirer !... Et le fils... tu vois ce que j'ai fait
pour lui... Il parle de me casser la tête, comme on

fait d'une gourde qui ne tient plus le vin. Voilà ce qu'on apprend sur le continent, Memmo !

– Oui, et si l'on sait que tu as tué un cochon, on te fera un procès, et Ors' Anton' ne voudra pas parler aux juges ni payer l'avocat. Heureusement personne ne t'a vu, et saine Nega est là pour te tirer d'affaire. »

Après une courte délibération, les deux bergers conclurent que le plus prudent était de jeter le porc dans une fondrière, projet qu'ils mirent à exécution, bien entendu après avoir pris chacun quelques grillades sur l'innocente victime de la haine des della Rebbia et des Barricini.

CHAPITRE XVII

Débarrassé de son escorte indisciplinée, Orso continuait sa route, plus préoccupé du plaisir de revoir Miss Nevil que de la crainte de rencontrer ses ennemis. « Le procès que je vais avoir avec ces misérables Barricini, se disait-il, va m'obliger d'aller à Bastia. Pourquoi n'accompagnerais-je pas Miss Nevil ? Pourquoi, de Bastia, n'irions-nous pas ensemble aux eaux d'Orezza ? » Tout à coup des souvenirs d'enfance lui rappelèrent nettement ce site pittoresque. Il se crut transporté sur une verte pelouse au pied des châtaigniers séculaires. Sur un gazon d'une herbe lustrée, parsemé de fleurs bleues ressemblant à des yeux qui lui souriaient, il voyait Miss Lydia assise auprès de lui. Elle avait ôté son chapeau, et ses cheveux blonds, plus fins et plus doux que la soie, brillaient comme de l'or au soleil qui pénétrait au travers du feuillage. Ses yeux, d'un bleu si pur, lui paraissaient plus bleus que le firmament. La joue appuyée sur une main, elle écoutait toute pensive les paroles d'amour qu'il lui adressait en tremblant. Elle avait cette robe de mousseline qu'elle portait le dernier jour qu'il l'avait vue à Ajaccio. Sous les plis de cette robe s'échappait un petit pied dans un soulier de satin noir. Orso se disait qu'il serait bien heureux de baiser ce pied ; mais une des mains de Miss Lydia n'était pas gantée, et elle tenait une pâquerette. Orso lui prenait cette pâquerette, et la main de Lydia serrait la sienne ; et il baisait la pâquerette, et puis la main, et on ne se fâchait pas... Et toutes ces pensées l'empêchaient de faire attention à la route qu'il suivait, et cependant il trottait toujours. Il allait pour la seconde fois baiser en imagination la main blanche de Miss Nevil, quand il pensa baiser en réalité la tête de son cheval qui s'arrêta tout à coup. C'est que la petite Chilina lui barrait le chemin et lui saisissait la bride.

« Où allez-vous ainsi, Ors' Anton' ? disait-elle. Ne savez-vous pas que votre ennemi est près d'ici ?

— Mon ennemi ! s'écria Orso furieux de se voir interrompu dans un moment aussi intéressant. Où est-il ?

— Orlanduccio est près d'ici. Il vous attend. Retournez, retournez.

— Ah ! il m'attend ! Tu l'as vu ?

« – Oui, Ors' Anton', j'étais couchée dans la fougère quand il a passé. Il regardait de tous les côtés avec sa lunette.

– De quel côté allait-il ?

– Il descendait par là, du côté où vous allez.

– Merci.

– Ors' Anton', ne feriez-vous pas bien d'attendre mon oncle ? Il ne peut tarder, et avec lui vous seriez en sûreté.

– N'aie pas peur, Chili, je n'ai pas besoin de ton oncle.

– Si vous vouliez, j'irais devant vous.

– Merci, merci. »

Et Orso, poussant son cheval, se dirigea rapidement du côté que la petite fille lui avait indiqué.

Son premier mouvement avait été un aveugle transport de fureur, et il s'était dit que la fortune lui offrait une excellente occasion de corriger ce lâche qui mutilait un cheval pour se venger d'un soufflet. Puis, tout en avançant, l'espèce de promesse qu'il avait faite au préfet, et surtout la crainte de manquer la visite de Miss Nevil, changeaient ses dispositions et lui faisaient presque désirer de ne pas rencontrer Orlanduccio. Bientôt le souvenir de son père, l'insulte faite à son cheval, les menaces des Barricini rallumaient sa colère, et l'excitaient à chercher son ennemi pour le provoquer et l'obliger à se battre. Ainsi agité par des résolutions contraires, il continuait de marcher en avant, mais, maintenant, avec précaution, examinant les buissons et les haies, et quelquefois même s'arrêtant pour écouter les bruits vagues qu'on entend dans la campagne. Dix minutes après avoir quitté la petite Chilina (il était alors environ neuf heures du matin), il se trouva au bord d'un coteau extrêmement rapide. Le chemin, ou plutôt le sentier à peine tracé qu'il suivait, traversait un maquis récemment brûlé. En ce lieu la terre était chargée de cendres blanchâtres, et çà et là des arbrisseaux et quelques gros arbres noircis par le feu et entièrement dépouillés de leurs feuilles se tenaient debout, bien qu'ils eussent cessé de vivre. En voyant un maquis brûlé, on se croit transporté dans un site du Nord au milieu de l'hiver, et le contraste de l'aridité des lieux que la flamme a parcourus avec la végétation luxuriante d'alentour les fait paraître encore plus tristes et désolés. Mais dans ce paysage Orso ne voyait en ce moment qu'une chose, importante il est vrai, dans sa position : la terre étant nue ne pouvait cacher une embuscade, et celui qui peut craindre à chaque instant de voir sortir d'un fourré un canon de fusil dirigé contre sa poitrine, regarde comme une espèce d'oasis un terrain uni où rien n'arrête la vue. Au maquis brûlé succédaient plusieurs champs en culture, enclos, selon l'usage du pays, de murs en pierres sèches à hauteur d'appui. Le sentier passait entre ces enclos, où d'énormes châtaigniers, plantés confusément, présentaient de loin l'apparence d'un bois touffu.

Obligé par la roideur de la pente à mettre pied à terre, Orso, qui avait laissé la bride sur le cou de son cheval, descendait rapidement en glissant sur la cendre ; et il n'était guère qu'à vingt-cinq pas d'un de ces enclos en pierre à droite du chemin, lorsqu'il aperçut, précisément en face de lui, d'abord un canon de fusil, puis une tête dépassant la crête du mur. Le fusil s'abaissa, et il reconnut Orlanduccio prêt à faire feu. Orso fut prompt à se mettre en défense, et tous les deux, se couchant en joue, se regardèrent quelques secondes avec cette émotion poignante que le plus brave éprouve au moment de donner ou de recevoir la mort.

« Misérable lâche ! » s'écria Orso...

Il parlait encore quand il vit la flamme du fusil d'Orlanduccio, et presque en même temps un second coup partit à sa gauche, de l'autre côté du sentier, tiré par un homme qu'il n'avait point aperçu, et qui l'ajustait posté derrière un autre mur. Les deux balles l'atteignirent : l'une, celle d'Orlanduccio, lui traversa le bras gauche, qu'il lui présentait en le couchant en joue ; l'autre le frappa à la poitrine, déchira son habit, mais, rencontrant heureusement la lame de son stylet, s'aplatit dessus et ne lui fit qu'une contusion légère. Le bras gauche d'Orso tomba immobile le long de sa cuisse, et le canon de son fusil s'abaissa un instant ; mais il le releva aussitôt, et dirigeant son arme de sa seule main droite, il fit feu sur Orlanduccio. La tête de son ennemi, qu'il ne découvrait que jusqu'aux yeux, disparut derrière le mur. Orso, se tournant à sa gauche, lâcha son second coup sur un homme entouré de fumée qu'il apercevait à peine. A son tour, cette figure disparut. Les quatre coups de fusil s'étaient succédé avec une rapidité incroyable, et jamais soldats exercés ne

mirent moins d'intervalle dans un feu de file. Après
le dernier coup d'Orso, tout rentra dans le silence.
La fumée sortie de son arme montait lentement vers
le ciel ; aucun mouvement derrière le mur, pas le plus
léger bruit. Sans la douleur qu'il ressentait au bras,
il aurait pu croire que ces hommes sur qui il venait
de tirer étaient des fantômes de son imagination.

S'attendant à une seconde décharge, Orso fit
quelques pas pour se placer derrière un de ces arbres
brûlés restés debout dans le maquis. Derrière cet
abri, il plaça son fusil entre ses genoux et le
rechargea à la hâte. Cependant son bras gauche le
faisait cruellement souffrir, et il lui semblait qu'il
soutenait un poids énorme. Qu'étaient devenus ses
adversaires ? Il ne pouvait le comprendre. S'ils
s'étaient enfuis, s'ils avaient été blessés, il aurait
assurément entendu quelque bruit, quelque mouvement dans le feuillage. Étaient-ils donc morts, ou
bien plutôt n'attendaient-ils pas, à l'abri de leur mur,
l'occasion de tirer de nouveau sur lui ? Dans cette
incertitude, et sentant ses forces diminuer, il mit en
terre le genou droit, appuya sur l'autre son bras
blessé et se servit d'une branche qui partait du tronc
de l'arbre brûlé pour soutenir son fusil. Le doigt sur
la détente, l'œil fixé sur le mur, l'oreille attentive au
moindre bruit, il demeura immobile pendant quelques minutes, qui lui parurent un siècle. Enfin, bien
loin derrière lui, un cri éloigné se fit entendre, et
bientôt un chien, descendant le coteau avec la
rapidité d'une flèche, s'arrêta auprès de lui en
remuant la queue. C'était Brusco, le disciple et le

compagnon des bandits, annonçant sans doute l'arrivée de son maître ; et jamais honnête homme ne fut plus impatiemment attendu. Le chien, le museau en l'air, tourné du côté de l'enclos le plus proche, flairait avec inquiétude. Tout à coup il fit entendre un grognement sourd, franchit le mur d'un bond, et presque aussitôt remonta sur la crête, d'où il regarda fixement Orso, exprimant dans ses yeux la surprise aussi clairement que chien le peut faire ; puis il se remit le nez au vent, cette fois dans la direction de l'autre enclos, dont il sauta encore le mur. Au bout d'une seconde, il reparaissait sur la crête, montrant le même air d'étonnement et d'inquiétude ; puis il sauta dans le maquis, la queue entre les jambes, regardant toujours Orso et s'éloignant de lui à pas lents, par une marche de côté, jusqu'à ce qu'il s'en trouvât à quelque distance. Alors, reprenant sa course, il remonta le coteau presque aussi vite qu'il l'avait descendu, à la rencontre d'un homme qui s'avançait rapidement malgré la roideur de la pente.

« A moi, Brando ! s'écria Orso dès qu'il le crut à portée de voix.

— Ho ! Ors' Anton' ! vous êtes blessé ? lui demanda Brandolaccio accourant tout essoufflé. Dans le corps ou dans les membres ?...

— Au bras.

— Au bras ! ce n'est rien. Et l'autre ?

— Je crois l'avoir touché. »

Brandolaccio, suivant son chien, courut à l'enclos

le plus proche et se pencha pour regarder de l'autre côté du mur. Là, ôtant son bonnet :

« Salut au seigneur Orlanduccio », dit-il. Puis, se tournant du côté d'Orso, il le salua à son tour d'un air grave :

« Voilà, dit-il, ce que j'appelle un homme proprement accommodé.

– Vit-il encore ? demanda Orso respirant avec peine.

– Oh ! il s'en garderait ; il a trop de chagrin de la balle que vous lui avez mise dans l'œil. Sang de la Madone, quel trou ! Bon fusil, ma foi ! Quel calibre ! Ça vous écrabouille une cervelle ! Dites donc, Ors' Anton', quand j'ai entendu d'abord pif ! pif ! je me suis dit : « Sacrebleu ! ils escofient mon lieutenant. » Puis j'entends boum ! boum ! « Ah ! je dis, voilà le fusil anglais qui parle : « il riposte... » Mais Brusco, qu'est-ce que tu me veux donc ? »

Le chien le mena à l'autre enclos.

« Excusez ! s'écria Brandolaccio stupéfait. Coup double ! rien que cela ! Peste ! on voit bien que la poudre est chère, car vous l'économisez.

– Qu'y a-t-il, au nom de Dieu ? demanda Orso.

– Allons ! ne faites donc pas le farceur, mon lieutenant ! vous jetez le gibier par terre, et vous voulez qu'on vous le ramasse... En voilà un qui va en avoir un drôle de dessert aujourd'hui ! c'est l'avocat Barricini. De la viande de boucherie, en veux-tu, en voilà ! Maintenant qui diable héritera ?

– Quoi ! Vincentello mort aussi ?

– Très mort. Bonne santé à nous autres [1] ! Ce qu'il y a de bon avec vous, c'est que vous ne les faites pas souffrir. Venez donc voir Vincentello : il est encore à genoux, la tête appuyée contre le mur. Il a l'air de dormir. C'est là le cas de dire : Sommeil de plomb. Pauvre diable ! »

Orso détourna la tête avec horreur.

« Es-tu sûr qu'il soit mort ?

– Vous êtes comme Sampiero Corso, qui ne donnait jamais qu'un coup. Voyez-vous, là…, dans la poitrine, à gauche ? Tenez, comme Vincileone fut attrapé à Waterloo. Je parierais bien que la balle n'est pas loin du cœur. Coup double ! Ah ! je ne me mêle plus de tirer. Deux en deux coups !… A balle !… Les deux frères !… S'il avait eu un troisième coup, il aurait tué le papa… On fera mieux une autre fois… Quel coup, Ors' Anton' !… Et dire que cela n'arrivera jamais à un brave garçon comme moi de faire coup double sur des gendarmes ! »

Tout en parlant, le bandit examinait le bras d'Orso et fendait sa manche avec son stylet.

« Ce n'est rien, dit-il. Voilà une redingote qui donnera de l'ouvrage à Mlle Colomba… Hein ! qu'est-ce que je vois ? cet accroc sur la poitrine ?… Rien n'est entré par là ? Non, vous ne seriez pas si gaillard. Voyons, essayez de remuer les doigts ?… Sentez-vous mes dents quand je mords le petit doigt ?… Pas trop ?… C'est égal, ce ne sera rien.

---

1. *Salute à noi !* Exclamation qui accompagne ordinairement le mot de *mort,* et qui lui sert de correctif.

Laissez-moi prendre votre mouchoir et votre cravate... Voilà votre redingote perdue... Pourquoi diable vous faire si beau ? Alliez-vous à la noce ?... Là, buvez une goutte de vin... Pourquoi donc ne portez-vous pas de gourde ? Est-ce qu'un Corse sort jamais sans gourde ? »

Puis, au milieu du pansement, il s'interrompait pour s'écrier :

« Coup double ! tous les deux roides morts !... C'est le curé qui va rire... Coup double ! Ah ! voici enfin cette petite tortue de Chilina. »

Orso ne répondait pas. Il était pâle comme un mort et tremblait de tous ses membres.

« Chili, cria Brandolaccio, va regarder derrière ce mur. Hein ? »

L'enfant, s'aidant des pieds et des mains, grimpa sur le mur, et aussitôt qu'elle eut aperçu le cadavre d'Orlanduccio, elle fit le signe de la croix.

« Ce n'est rien, continua le bandit ; va voir plus loin, là-bas. »

L'enfant fit un nouveau signe de croix.

« Est-ce vous, mon oncle ? demanda-t-elle timidement.

— Moi ! est-ce que je ne suis pas devenu un vieux bon à rien ? Chili, c'est de l'ouvrage de monsieur. Fais-lui ton compliment.

— Mademoiselle en aura bien de la joie, dit Chilina, et elle sera bien fâchée de vous savoir blessé, Ors' Anton'.

— Allons, Ors' Anton', dit le bandit après avoir achevé le pansement, voilà Chilina qui a rattrapé

,votre cheval. Montez et venez avec moi au maquis
de la Stazzona. Bien avisé qui vous y trouverait. Nous
vous y traiterons de notre mieux. Quand nous serons
à la croix de Sainte-Christine, il faudra mettre pied
à terre. Vous donnerez votre cheval à Chilina, qui
s'en ira prévenir mademoiselle, et, chemin faisant,
vous la chargerez de vos commissions. Vous pouvez
tout dire à la petite, Ors' Anton' : elle se ferait plutôt
hacher que de trahir ses amis. » Et d'un ton de
tendresse : « Va, coquine, disait-il, sois excommu-
niée, sois maudite, friponne ! » Brandolaccio,
superstitieux, comme beaucoup de bandits, craignait
de fasciner les enfants en leur adressant des
bénédictions ou des éloges, car on sait que les
puissances mystérieuses qui président à l'*Annocchia-
tura* [1] ont la mauvaise habitude d'exécuter le
contraire de nos souhaits.

« Où veux-tu que j'aille, Brando ? dit Orso d'une
voix éteinte.

— Parbleu ! vous avez à choisir : en prison ou bien
au maquis. Mais un della Rebbia ne connaît pas le
chemin de la prison. Au maquis, Ors' Anton' !

— Adieu donc toutes mes espérances ! s'écria
douloureusement le blessé.

— Vos espérances ? Diantre ! espériez-vous faire
mieux avec un fusil à deux coups ?... Ah çà ! comment
diable vous ont-ils touché ? Il faut que ces gaillards-là
aient la vie plus dure que les chats.

1. Fascination involontaire qui s'exerce, soit par les yeux, soit
par la parole.

– Ils ont tiré les premiers, dit Orso.

– C'est vrai, j'oubliais... Pif ! pif ! boum ! boum !...
coup double d'une main [1]... Quand on fera mieux,
je m'irai pendre ! Allons, vous voilà monté... avant
de partir, regardez donc un peu votre ouvrage. Il
n'est pas poli de quitter ainsi la compagnie sans lui
dire adieu. »

Orso donna des éperons à son cheval ; pour rien
au monde il n'eût voulu voir les malheureux à qui
il venait de donner la mort.

« Tenez, Ors' Anton', dit le bandit s'emparant de
la bride du cheval, voulez-vous que je vous parle
franchement ? Eh bien, sans vous offenser, ces deux
pauvres jeunes gens me font de la peine. Je vous prie
de m'excuser... Si beaux... si forts... si jeunes !...
Orlanduccio avec qui j'ai chassé tant de fois... Il m'a
donné, il y a quatre jours, un paquet de cigares...
Vincentello, qui était toujours de si belle humeur !...
C'est vrai que vous avez fait ce que vous deviez faire...
et d'ailleurs le coup est trop beau pour qu'on le
regrette... Mais moi, je n'étais pas dans votre
vengeance... Je sais que vous avez raison ; quand on
a un ennemi, il faut s'en défaire. Mais les Barricini,
c'est une vieille famille... En voilà encore une qui
fausse compagnie !... et par un coup double ! c'est
piquant. »

1. Si quelque chasseur incrédule me contestait le coup
double de M. della Rebbia, je l'engagerais à aller à Sartène,
et à se faire raconter comment un des habitants les plus
distingués et les plus aimables de cette ville se tira seul, et le
bras gauche cassé, d'une position au moins aussi dangereuse.

Faisant ainsi l'oraison funèbre des Barricini, Brandolaccio conduisait en hâte Orso, Chilina, et le chien Brusco vers le maquis de la Stazzona.

CHAPITRE XVIII

Cependant Colomba, peu après le départ d'Orso, avait appris par ses espions que les Barricini tenaient la campagne, et, dès ce moment, elle fut en proie à une vive inquiétude. On la voyait parcourir la maison en tous sens, allant de la cuisine aux chambres préparées pour ses hôtes, ne faisant rien et toujours occupée, s'arrêtant sans cesse pour regarder si elle n'apercevait pas dans le village un mouvement inusité. Vers onze heures une cavalcade assez nombreuse entra dans Pietranera ; c'étaient le colonel, sa fille, leurs domestiques et leur guide. En les recevant, le premier mot de Colomba fut : « Avez-vous vu mon frère ? » Puis elle demanda au guide quel chemin ils avaient pris, à quelle heure ils étaient partis ; et, sur ses réponses, elle ne pouvait comprendre qu'ils ne se fussent pas rencontrés.

« Peut-être que votre frère aura pris par le haut, dit le guide ; nous, nous sommes venus par le bas. »

Mais Colomba secoua la tête et renouvela ses questions. Malgré sa fermeté naturelle, augmentée encore par l'orgueil de cacher toute faiblesse à des étrangers, il lui était impossible de dissimuler ses inquiétudes, et bientôt elle les fit partager au colonel et surtout à Miss Lydia, lorsqu'elle les eut mis au fait de la tentative de réconciliation qui avait eu une si malheureuse issue. Miss Nevil s'agitait, voulait qu'on envoyât des messagers dans toutes les directions, et son père offrait de remonter à cheval et d'aller avec le guide à la recherche d'Orso. Les craintes de ses hôtes rappelèrent à Colomba ses devoirs de maîtresse de maison. Elle s'efforça de sourire, pressa le colonel de se mettre à table, et trouva pour expliquer le retard de son frère vingt motifs plausibles qu'au bout d'un instant elle détruisait elle-même. Croyant qu'il était de son devoir d'homme de chercher à rassurer des femmes, le colonel proposa son explication aussi.

« Je gage, dit-il, que della Rebbia aura rencontré du gibier ; il n'a pu résister à la tentation, et nous allons le voir revenir la carnassière toute pleine. Parbleu ! ajouta-t-il, nous avons entendu sur la route quatre coups de fusil. Il y en avait deux plus forts que les autres, et j'ai dit à ma fille : Je parie que c'est della Rebbia qui chasse. Ce ne peut être que mon fusil qui fait tant de bruit. »

Colomba pâlit, et Lydia, qui l'observait avec attention, devina sans peine quels soupçons la conjecture du colonel venait de lui suggérer. Après un silence de quelques minutes, Colomba demanda vivement si les deux fortes détonations avaient précédé ou suivi les autres. Mais ni le colonel, ni sa fille, ni le guide, n'avaient fait grande attention à ce point capital.

Vers une heure, aucun des messagers envoyés par Colomba n'étant encore revenu, elle rassembla tout son courage et força ses hôtes à se mettre à table ; mais, sauf le colonel, personne ne put manger. Au moindre bruit sur la place, Colomba courait à la fenêtre, puis revenait s'asseoir tristement, et, plus tristement encore, s'efforçait de continuer avec ses amis une conversation insignifiante à laquelle personne ne prêtait la moindre attention et qu'interrompaient de longs intervalles de silence.

Tout d'un coup on entendit le galop d'un cheval.

« Ah ! cette fois, c'est mon frère », dit Colomba en se levant.

Mais à la vue de Chilina montée à califourchon sur le cheval d'Orso :

« Mon frère est mort ! » s'écria-t-elle d'une voix déchirante.

Le colonel laissa tomber son verre, Miss Nevil poussa un cri, tous coururent à la porte de la maison. Avant que Chilina pût sauter à bas de sa monture, elle était enlevée comme une plume par Colomba qui la serrait à l'étouffer. L'enfant comprit son terrible regard, et sa première parole fut celle du chœur d'*Otello* : « Il vit ! » Colomba cessa de l'étreindre, et Chilina tomba à terre aussi lestement qu'une jeune chatte.

« Les autres ? » demanda Colomba d'une voix rauque.

Chilina fit le signe de la croix avec l'index et le doigt du milieu. Aussitôt une vive rougeur succéda, sur la figure de Colomba, à sa pâleur mortelle. Elle jeta un regard ardent sur la maison des Barricini, et dit en souriant à ses hôtes :

« Rentrons prendre le café. »

L'Iris des bandits en avait long à raconter. Son patois, traduit par Colomba en italien tel quel, puis en anglais par Miss Nevil, arracha plus d'une imprécation au colonel, plus d'un soupir à Miss Lydia ; mais Colomba écoutait d'un air impassible ; seulement elle tordait sa serviette damassée de façon à la mettre en pièces. Elle interrompit l'enfant cinq ou six fois pour se faire répéter que Brandolaccio disait que la blessure n'était pas dangereuse et qu'il en avait vu bien d'autres. En terminant Chilina rapporta qu'Orso demandait avec insistance du papier pour écrire, et qu'il chargeait sa sœur de supplier une dame qui peut-être se trouverait dans sa maison, de n'en point partir avant d'avoir reçu une lettre de lui. « C'est, ajouta l'enfant, ce qui le tourmentait le plus ; et j'étais déjà en route quand il m'a rappelée pour me recommander cette commission. C'était la troisième fois qu'il me la répétait. » A cette injonction de son frère, Colomba sourit légèrement et serra fortement la main de l'Anglaise, qui fondit en larmes et ne jugea pas à propos de traduire à son père cette partie de la narration.

« Oui, vous resterez avec moi, ma chère amie, s'écria Colomba, en embrassant Miss Nevil, et vous nous aiderez. »

Puis, tirant d'une armoire quantité de vieux linge, elle se mit à couper, pour faire des bandes et de la charpie. En voyant ses yeux étincelants, son teint animé, cette alternative de préoccupation et de sang-froid, il eût été difficile de dire si elle était plus touchée de la blessure de son frère qu'enchantée de la mort de ses ennemis. Tantôt elle versait du café au colonel et lui vantait son talent à le préparer ; tantôt, distribuant de l'ouvrage à Miss Nevil et à Chilina, elle les exhortait à coudre les bandes et à les rouler ; elle demandait pour la vingtième fois si la blessure d'Orso le faisait beaucoup souffrir. Continuellement elle s'interrompait au milieu de son travail pour dire au colonel :

« Deux hommes si adroits ! si terribles !... Lui seul, blessé, n'ayant qu'un bras... il les a abattus tous les deux. Quel courage, colonel ! N'est-ce pas un héros ? Ah ! Miss Nevil, qu'on est heureux de vivre dans un pays tranquille comme le vôtre !... Je suis sûre que vous ne connaissiez pas encore mon frère !... Je l'avais dit : l'épervier déploiera ses ailes !... Vous vous trompiez à son air doux... C'est qu'auprès de vous, Miss Nevil... Ah ! s'il vous voyait travailler pour lui... Pauvre Orso ! »

Miss Lydia ne travaillait guère et ne trouvait pas une parole. Son père demandait pourquoi l'on ne se hâtait pas de porter plainte devant un magistrat. Il parlait de l'enquête du *coroner* et de bien d'autres choses également inconnues en Corse. Enfin il voulait savoir si la maison de campagne de ce bon M. Brandolaccio, qui avait donné des secours au blessé, était fort éloignée de Pietranera, et s'il ne pourrait pas aller lui-même voir son ami.

Et Colomba répondait avec son calme accoutumé

qu'Orso était dans le maquis ; qu'il avait un bandit pour le soigner ; qu'il courait grand risque s'il se montrait avant qu'on se fût assuré des dispositions du préfet et des juges ; enfin qu'elle ferait en sorte qu'un chirurgien habile se rendît en secret auprès de lui.

« Surtout, monsieur le colonel, souvenez-vous bien, disait-elle, que vous avez entendu les quatre coups de fusil, et que vous m'avez dit qu'Orso avait tiré le second. »

Le colonel ne comprenait rien à l'affaire, et sa fille ne faisait que soupirer et s'essuyer les yeux.

Le jour était déjà fort avancé lorsqu'une triste procession entra dans le village. On rapportait à l'avocat Barricini les cadavres de ses enfants, chacun couché en travers d'une mule que conduisait un paysan. Une foule de clients et d'oisifs suivait le lugubre cortège. Avec eux on voyait les gendarmes qui arrivent toujours trop tard, et l'adjoint, qui levait les bras au ciel, répétant sans cesse : « Que dira monsieur le préfet ! » Quelques femmes, entre autres une nourrice d'Orlanduccio, s'arrachaient les cheveux et poussaient des hurlements sauvages. Mais leur douleur bruyante produisait moins d'impression que le désespoir muet d'un personnage qui attirait tous les regards. C'était le malheureux père, qui, allant d'un cadavre à l'autre, soulevait leurs têtes souillées de terre, baisait leurs lèvres violettes, soutenait leurs membres déjà roidis, comme pour leur éviter les cahots de la route. Parfois on le voyait ouvrir la bouche pour parler, mais il n'en sortait pas un cri, pas une parole. Toujours les yeux fixés sur les cadavres, il se heurtait contre les pierres, contre les arbres, contre tous les obstacles qu'il rencontrait.

Les lamentations des femmes, les imprécations des hommes redoublèrent lorsqu'on se trouva en vue de la maison d'Orso. Quelques bergers rebbianistes ayant osé faire entendre une acclamation de triomphe, l'indignation de leurs adversaires ne put se contenir. « Vengeance ! vengeance ! » crièrent quelques voix. On lança des pierres, et deux coups de fusil dirigés contre les fenêtres de la salle où se trouvaient Colomba et ses hôtes percèrent les contrevents et firent voler des éclats de bois jusque sur la table près de laquelle les deux femmes étaient assises. Miss Lydia poussa des cris affreux, le colonel saisit un fusil, et Colomba, avant qu'il pût la retenir, s'élança vers la porte de la maison et l'ouvrit avec impétuosité. Là, debout sur le seuil élevé, les deux mains étendues pour maudire ses ennemis :

« Lâches ! s'écria-t-elle, vous tirez sur des femmes, sur des étrangers ! Êtes-vous Corses ? êtes-vous hommes ? Misérables qui ne savez qu'assassiner par-derrière, avancez ! je vous défie. Je suis seule ; mon frère est loin. Tuez-moi, tuez mes hôtes ; cela est digne de vous... Vous n'osez, lâches que vous êtes ! vous savez que nous nous vengeons. Allez, allez pleurer comme des femmes, et remerciez-nous de ne pas vous demander plus de sang ! »

Il y avait dans la voix et dans l'attitude de Colomba quelque chose d'imposant et de terrible ; à sa vue, la foule recula épouvantée, comme à l'apparition de

"Colomba vit porter les cadavres dans la maison de ses ennemis."

ces malfaisantes dont on raconte en Corse plus d'une histoire effrayante dans les veillées d'hiver. L'adjoint, les gendarmes et un certain nombre de femmes profitèrent de ce mouvement pour se jeter entre les deux partis ; car les bergers rebbianistes préparaient déjà leurs armes, et l'on put craindre un moment qu'une lutte générale ne s'engageât sur la place. Mais les deux factions étaient privées de leurs chefs, et les Corses, disciplinés dans leurs fureurs, en viennent rarement aux mains dans l'absence des principaux auteurs de leurs guerres intestines. D'ailleurs, Colomba, rendue prudente par le succès, contint sa petite garnison :

« Laissez pleurer ces pauvres gens, disait-elle ; laissez ce vieillard emporter sa chair. A quoi bon tuer ce vieux renard qui n'a plus de dents pur mordre ? – Giudice Barricini ! souviens-toi du deux août ! Souviens-toi du portefeuille sanglant où tu as écrit de ta main de faussaire ! Mon père y avait inscrit ta dette ; tes fils l'ont payée. Je te donne quittance, vieux Barricini ! »

Colomba, les bras croisés, le sourire du mépris sur les lèvres, vit porter les cadavres dans la maison de ses ennemis, puis la foule se dissiper lentement. Elle referma sa porte, et rentrant dans la salle à manger dit au colonel :

« Je vous demande bien pardon pour mes compatriotes, monsieur. Je n'aurais jamais cru que des Corses tirassent sur une maison où il y a des étrangers, et je suis honteuse pour mon pays. »

Le soir, Miss Lydia s'étant retirée dans sa chambre,

le colonel l'y suivit, et lui demanda s'ils ne feraient pas bien de quitter dès le lendemain un village où l'on était exposé à chaque instant à recevoir une balle dans la tête, et le plus tôt possible un pays où l'on ne voyait que meurtres et trahisons.

Miss Nevil fut quelque temps sans répondre, et il était évident que la proposition de son père ne lui causait pas un médiocre embarras. Enfin elle dit :

« Comment pourrions-nous quitter cette malheureuse jeune personne dans un moment où elle a tant besoin de consolation ? Ne trouvez-vous pas, mon père, que cela serait cruel à nous ?

— C'est pour vous que je parle, ma fille, dit le colonel ; et si je vous savais en sûreté dans l'hôtel d'Ajaccio, je vous assure que je serais fâché de quitter cette île maudite sans avoir serré la main à ce brave della Rebbia.

— Eh bien, mon père, attendons encore et, avant de partir, assurons-nous bien que nous ne pouvons leur rendre aucun service !

— Bon cœur ! dit le colonel en baisant sa fille au front. J'aime à te voir ainsi te sacrifier pour adoucir le malheur des autres. Restons ; on ne se repent jamais d'avoir fait une bonne action. »

Miss Lydia s'agitait dans son lit sans pouvoir dormir. Tantôt les bruits vagues qu'elle entendait lui paraissaient les préparatifs d'une attaque contre la maison ; tantôt, rassurée pour elle-même, elle pensait au pauvre blessé, étendu probablement à cette heure sur la terre froide, sans autre secours que ceux qu'il pouvait attendre de la charité d'un bandit. Elle se le représentait couvert de sang, se débattant dans des souffrances horribles ; et ce qu'il y a de singulier, c'est que, toutes les fois que l'image d'Orso se présentait à son esprit, il lui apparaissait toujours tel qu'elle l'avait vu au moment de son départ, pressant sur ses lèvres le talisman qu'elle lui avait donné... Puis elle songeait à sa bravoure. Elle se disait que le danger terrible auquel il venait d'échapper, c'était à cause d'elle, pour la voir un peu plus tôt, qu'il s'y était exposé. Peu s'en fallait qu'elle ne se persuadât que c'était pour la défendre qu'Orso s'était fait casser le bras. Elle se reprochait sa blessure, mais elle l'en admirait davantage ; et si le fameux coup double n'avait pas, à ses yeux, autant de mérite qu'à ceux de Brandolaccio et de Colomba, elle trouvait cependant que peu de héros de roman auraient montré autant d'intrépidité, autant de sang-froid dans un aussi grand péril.

La chambre qu'elle occupait était celle de Colomba. Au-dessus d'une espèce de prie-Dieu en chêne, à côté d'une palme bénite, était suspendu à la muraille un portrait en miniature d'Orso en uniforme de sous-lieutenant. Miss Nevil détacha ce portrait, le considéra longtemps et le posa enfin auprès de son lit, au lieu de le remettre à sa place. Elle ne s'endormit qu'à la pointe du jour, et le soleil était déjà fort élevé au-dessus de l'horizon lorsqu'elle s'éveilla. Devant son lit elle aperçut Colomba, qui attendait immobile le moment où elle ouvrirait les yeux.

« Eh bien, mademoiselle, n'êtes-vous pas bien mal

dans notre pauvre maison ? lui dit Colomba. Je crains que vous n'ayez guère dormi.

« – Avez-vous de ses nouvelles, ma chère amie ? » dit Miss Nevil en se levant sur son séant.

Elle aperçut le portrait d'Orso, et se hâta de jeter un mouchoir pour le cacher.

« Oui, j'ai des nouvelles », dit Colomba en souriant.

Et, prenant le portrait :

« Le trouvez-vous ressemblant ? Il est mieux que cela.

– Mon Dieu !... dit Miss Nevil toute honteuse, j'ai détaché... par distraction... ce portrait... J'ai le défaut de toucher à tout... et de ne ranger rien... Comment est votre frère ?

– Assez bien. Giocanto est venu ici ce matin avant quatre heures. Il m'apportait une lettre... pour vous, Miss Lydia ; Orso ne m'a pas écrit, à moi. Il y a bien sur l'adresse : A Colomba ; mais plus bas : Pour Miss N... Les sœurs ne sont point jalouses. Giocanto dit qu'il a bien souffert pour écrire. Giocanto, qui a une main superbe, lui avait offert d'écrire sous sa dictée. Il n'a pas voulu. Il écrivait avec un crayon, couché sur le dos. Brandolaccio tenait le papier. A chaque instant mon frère voulait se lever, et alors, au moindre mouvement, c'étaient dans son bras des douleurs atroces, c'était pitié, disait Giocanto. Voici sa lettre. »

Miss Nevil lut la lettre, qui était écrite en anglais, sans doute par surcroît de précaution. Voici ce qu'elle contenait :

« Mademoiselle,

« Une malheureuse fatalité m'a poussé ; j'ignore
ce que diront mes ennemis, quelles calomnies ils
inventeront. Peu m'importe, si vous, mademoiselle,
vous n'y donnez point créance. Depuis que je vous
ai vue, je m'étais bercé de rêves insensés. Il a fallu
cette catastrophe pour me montrer ma folie ; je suis
raisonnable maintenant. Je sais quel est l'avenir qui
m'attend, et il me trouvera résigné. Cette bague que
vous m'avez donnée et que je croyais un talisman
de bonheur, je n'ose la garder. Je crains, Miss Nevil,
que vous n'ayez du regret d'avoir si mal placé vos
dons, ou plutôt, je crains qu'elle me rappelle le temps
où j'étais fou. Colomba vous la remettra... Adieu,
mademoiselle, vous allez quitter la Corse, et je ne
vous verrai plus : mais dites à ma sœur que j'ai encore
votre estime, et, je le dis avec assurance, je la mérite
toujours.

« O.D.R. »

Miss Lydia s'était détournée pour lire cette lettre,
et Colomba, qui l'observait attentivement, lui remit
la bague égyptienne en lui demandant du regard ce
que cela signifiait. Mais Miss Lydia n'osait lever la
tête, et elle considérait tristement la bague, qu'elle
mettait à son doigt et qu'elle retirait alternativement.

« Chère Miss Nevil, dit Colomba, ne puis-je savoir
ce que vous dit mon frère ? Vous parle-t-il de son
état ?

– Mais... dit Miss Lydia en rougissant, il n'en parle

pas... Sa lettre est en anglais... Il me charge de dire
à mon père... Il espère que le préfet pourra
arranger... »

Colomba, souriant avec malice, s'assit sur le lit,
prit les deux mains de Miss Nevil, et la regardant
avec ses yeux pénétrants :

« Serez-vous bonne ? lui dit-elle. N'est-ce pas que
vous répondrez à mon frère ? Vous lui ferez tant de
bien ! Un moment l'idée m'est venue de vous
réveiller lorsque sa lettre est arrivée, et puis je n'ai
pas osé.

— Vous avez eu bien tort, dit Miss Nevil, si un mot
de moi pouvait le...

— Maintenant, je ne puis lui envoyer de lettres. Le
préfet est arrivé, et Pietranera est pleine de ses
estafiers. Plus tard nous verrons. Ah ! si vous
connaissiez mon frère, Miss Nevil, vous l'aimeriez
comme je l'aime... Il est si bon ! si brave ! songez
donc à ce qu'il a fait ! Seul contre deux et blessé ! »

Le préfet était de retour. Instruit par un exprès
de l'adjoint, il était venu accompagné de gendarmes
et de voltigeurs, amenant de plus procureur du roi,
greffier et le reste pour instruire sur la nouvelle et
terrible catastrophe qui compliquait, ou si l'on veut
qui terminait les inimitiés des familles de Pietranera.
Peu après son arrivée, il vit le colonel Nevil et sa
fille, et ne leur cacha pas qu'il craignait que l'affaire
ne prît une mauvaise tournure.

« Vous savez, dit-il, que le combat n'a pas eu de
témoins ; et la réputation d'adresse et de courage de
ces deux malheureux jeunes gens était si bien établie,

que tout le monde se refuse à croire que M. della
Rebbia ait pu les tuer sans l'assistance des bandits
auprès desquels on le dit réfugié.

– C'est impossible, s'écria le colonel ; Orso della
Rebbia est un garçon plein d'honneur ; je réponds
de lui.

– Je le crois, dit le préfet, mais le procureur du
roi (ces messieurs soupçonnent toujours) ne me
paraît pas très favorablement disposé. Il a entre les
mains une pièce fâcheuse pour votre ami. C'est une
lettre menaçante adressée à Orlanduccio, dans
laquelle il lui donne un rendez-vous... et ce rendez-
vous lui paraît une embuscade.

– Cet Orlanduccio, dit le colonel, a refusé de se
battre comme un galant homme.

– Ce n'est pas l'usage ici. On s'embusque, on se
tue par-derrière, c'est la façon du pays. Il y a bien
une déposition favorable ; c'est celle d'une enfant qui
affirme avoir entendu quatre détonations, dont les
deux dernières, plus fortes que les autres, prove-
naient d'une arme de gros calibre comme le fusil de
M. della Rebbia. Malheureusement cette enfant est
la nièce de l'un des bandits que l'on soupçonne de
complicité et elle a sa leçon faite.

– Monsieur, interrompit Miss Lydia, rougissant
jusqu'au blanc des yeux, nous étions sur la route
quand les coups de fusil ont été tirés, et nous avons
entendu la même chose.

– En vérité ? Voilà qui est important. Et vous,
colonel, vous avez sans doute fait la même
remarque ?

– Oui, reprit vivement Miss Nevil ; c'est mon père, qui a l'habitude des armes, qui a dit : « Voilà M. della Rebbia qui tire avec mon fusil. »

– Et ces coups de fusil que vous avez reconnus, c'étaient bien les derniers ?

– Les deux derniers, n'est-ce pas, mon père ? »

Le colonel n'avait pas très bonne mémoire ; mais en toute occasion il n'avait garde de contredire sa fille.

« Il faut sur-le-champ parler de cela au procureur du roi, colonel. Au reste, nous attendons ce soir un chirurgien qui examinera les cadavres et vérifiera si les blessures ont été faites avec l'arme en question.

– C'est moi qui l'ai donnée à Orso, dit le colonel, et je voudrais la savoir au fond de la mer... C'est-à-dire... le brave garçon, je suis bien aise qu'il l'ait eue entre les mains ; car, sans mon Manton, je ne sais trop comment il s'en serait tiré. »

CHAPITRE XIX

Le chirurgien arriva un peu tard. Il avait eu son aventure sur la route. Rencontré par Giocanto Castriconi, il avait été sommé avec la plus grande politesse de venir donner ses soins à un homme blessé. On l'avait conduit auprès d'Orso, et il avait mis le premier appareil à sa blessure. Ensuite le bandit l'avait reconduit assez loin, et l'avait fort édifié en lui parlant des plus fameux professeurs de Pise ; qui disait-il, étaient ses intimes amis.

« Docteur, dit le théologien en le quittant, vous m'avez inspiré trop d'estime pour que je croie nécessaire de vous rappeler qu'un médecin doit être aussi discret qu'un confesseur. » Et il faisait jouer la batterie de son fusil. « Vous avez oublié le lieu où nous avons eu l'honneur de vous voir. Adieu, enchanté d'avoir fait votre connaissance. »

Colomba supplia le colonel d'assister à l'autopsie des cadavres.

« Vous connaissez mieux que personne le fusil de mon frère, dit-elle, et votre présence sera fort utile. D'ailleurs il y a tant de méchantes gens ici que nous courrions de grands risques si nous n'avions personne pour défendre nos intérêts. »

Restée seule avec Miss Lydia, elle se plaignit d'un grand mal de tête, et lui proposa une promenade à quelques pas du village.

« Le grand air me fera du bien, disait-elle. Il y a si longtemps que je ne l'ai respiré. » Tout en marchant elle parlait de son frère : et Miss Lydia, que ce sujet intéressait assez vivement, ne s'apercevait pas qu'elle s'éloignait beaucoup de Pietranera. Le soleil se couchait quand elle en fit l'observation et engagea Colomba à rentrer. Colomba connaissait une traverse qui, disait-elle, abrégeait beaucoup le retour ; et, quittant le sentier qu'elle suivait, elle en prit un autre en apparence beaucoup moins fréquenté. Bientôt elle se mit à gravir un coteau tellement escarpé qu'elle était obligée çontinuellement pour se soutenir de s'accrocher d'une main à des branches d'arbres, pendant que de l'autre elle tirait sa compagne auprès d'elle. Au bout d'un grand quart d'heure de cette pénible ascension elles se trouvèrent sur un petit plateau couvert de myrtes et d'arbousiers, au milieu de grandes masses de granit qui perçaient le sol de tous côtés. Miss Lydia était très fatiguée, le village ne paraissait pas, et il faisait presque nuit.

« Savez-vous, ma chère Colomba, dit-elle, que je crains que nous ne soyons égarées ?

– N'ayez pas peur, répondit Colomba. Marchons toujours, suivez-moi.

– Mais je vous assure que vous vous trompez ; le village ne peut pas être de ce côté-là. Je parierais que nous lui tournons le dos. Tenez, ces lumières que nous voyons si loin, certainement, c'est là qu'est Pietranera.

– Ma chère amie, dit Colomba d'un air agité, vous avez raison ; mais à deux cents pas d'ici... dans ce maquis...

– Eh bien ?

– Mon frère y est ; je pourrais le voir et l'embrasser si vous vouliez. »

Miss Nevil fit un mouvement de surprise.

« Je suis sortie de Pietranera, poursuivit Colomba, sans être remarquée, parce que j'étais avec vous... autrement on m'aurait suivie... Être si près de lui et ne pas le voir !... Pourquoi ne viendrez-vous pas avec moi voir mon pauvre frère ? Vous lui feriez tant de plaisir !

– Mais, Colomba... ce ne serait pas convenable de ma part.

– Je comprends. Vous autres femmes des villes, vous vous inquiétez toujours de ce qui est convenable ; nous autres femmes de village, nous ne pensons qu'à ce qui est bien.

– Mais il est tard !... Et votre frère, que pensera-t-il de moi ?

– Il pensera qu'il n'est point abandonné par ses amis, et cela lui donnera du courage pour souffrir.

– Et mon père, il sera inquiet.

– Il vous sait avec moi... Eh bien, décidez-vous... Vous regardiez son portrait ce matin, ajouta-t-elle avec un sourire de malice.

– Non... vraiment, Colomba, je n'ose... ces bandits qui sont là...

– Eh bien, ces bandits ne vous connaissent pas, qu'importe ? Vous désiriez en voir !...

– Mon Dieu !

– Voyez, mademoiselle, prenez un parti. Vous laisser seule ici, je ne le puis pas ; on ne sait pas ce qui pourrait arriver. Allons voir Orso, ou bien retournons ensemble au village... Je verrai mon frère... Dieu sait quand... peut-être jamais...

– Que dites-vous, Colomba ?... Eh bien, allons ! mais pour une minute seulement, et nous reviendrons aussitôt. »

Colomba lui serra la main et, sans répondre elle se mit à marcher avec une telle rapidité, que Miss Lydia avait peine à la suivre. Heureusement Colomba s'arrêta bientôt en disant à sa compagne :

« N'avançons pas davantage avant de les avoir prévenus ; nous pourrions peut-être attraper un coup de fusil. »

Elle se mit à siffler entre ses doigts ; bientôt après on entendit un chien aboyer, et la sentinelle avancée des bandits ne tarda pas à paraître. C'était notre vieille connaissance, le chien Brusco, qui reconnut aussitôt Colomba, et se chargea de lui servir de guide. Après maints détours dans les sentiers étroits du maquis, deux hommes armés jusqu'aux dents se présentèrent à leur rencontre.

« Est-ce vous, Brandolaccio ? demanda Colomba. Où est mon frère ?

– Là-bas ! répondit le bandit. Mais avancez doucement ; il dort, et c'est la première fois que cela lui arrive depuis son accident. Vive Dieu, on voit bien que par où passe le diable une femme passe bien aussi. »

Les deux femmes s'approchèrent avec précaution, et auprès d'un feu dont on avait prudemment masqué l'éclat en construisant autour un petit mur en pierres sèches, elles aperçurent Orso couché sur un tas de fougères et couvert d'un pilone. Il était fort pâle et l'on entendait sa respiration oppressée. Colomba s'assit auprès de lui, et le contemplait en silence les mains jointes, comme si elle priait mentalement. Miss Lydia, se couvrant le visage de son mouchoir, se serra contre elle ; mais de temps en temps elle levait la tête pour voir le blessé par-dessus l'épaule de Colomba. Un quart d'heure se passa sans que personne ouvrit la bouche. Sur un signe du théologien, Brandolaccio s'était enfoncé avec lui dans le maquis, au grand contentement de Miss Lydia, qui, pour la première fois, trouvait que les grandes barbes et l'équipement des bandits avaient trop de couleur locale.

Enfin Orso fit un mouvement. Aussitôt Colomba se pencha sur lui et l'embrassa à plusieurs reprises, l'accablant de questions sur sa blessure, ses souffrances, ses besoins. Après avoir répondu qu'il était aussi bien que possible, Orso lui demanda à son tour si Miss Nevil était encore à Pietranera, et si elle lui avait écrit. Colomba, courbée sur son frère, lui cachait complètement sa compagne, que l'obscurité, d'ailleurs, lui aurait difficilement permis de reconnaître. Elle tenait une main de Miss Nevil, et de l'autre elle soulevait légèrement la tête du blessé.

« Non, mon frère, elle ne m'a pas donné de lettre pour vous... ; mais vous pensez toujours à Miss Nevil, vous l'aimez donc bien ?

– Si je l'aime, Colomba !... Mais elle, elle me méprise peut-être à présent ! »

En ce moment, Miss Nevil fit un effort pour retirer sa main ; mais il n'était pas facile de faire lâcher prise à Colomba ; et, quoique petite et bien formée, sa main possédait une force dont on a vu quelques preuves.

« Vous mépriser ! s'écria Colomba, après ce que vous avez fait... Au contraire, elle dit du bien de vous... Ah ! Orso, j'aurais bien des choses d'elle à vous conter. »

La main voulait toujours s'échapper mais Colomba l'attirait toujours plus près d'Orso.

« Mais enfin, dit le blessé, pourquoi ne pas me répondre ?... Une seule ligne, et j'aurais été content. »

A force de tirer la main de Miss Nevil, Colomba finit par la mettre dans celle de son frère. Alors, s'écartant tout à coup en éclatant de rire :

« Orso, s'écria-t-elle, prenez garde de dire du mal de Miss Lydia, car elle entend très bien le corse. »

Miss Lydia retira aussitôt sa main et balbutia quelques mots inintelligibles. Orso croyait rêver.

« Vous ici, Miss Nevil ! Mon Dieu ! comment avez-vous osé ? Ah ! que vous me rendez heureux ! »

Et, se soulevant avec peine, il essaya de se rapprocher d'elle.

« J'ai accompagné votre sœur, dit Miss Lydia... pour qu'on ne pût soupçonner où elle allait... et puis, je voulais aussi... m'assurer... Hélas ! que vous êtes mal ici ! »

Colomba s'était assise derrière Orso. Elle le souleva avec précaution et de manière à lui soutenir la tête sur ses genoux. Elle lui passa les bras autour du cou, et fit signe à Miss Lydia de s'approcher.

« Plus près ! plus près ! disait-elle : il ne faut pas qu'un malade élève trop la voix. » Et comme Miss Lydia hésitait, elle lui prit la main et la força de s'asseoir tellement près, que sa robe touchait Orso, et que sa main, qu'elle tenait toujours, reposait sur l'épaule du blessé.

« Il est très bien comme cela, dit Colomba d'un

air gai. N'est-ce pas, Orso, qu'on est bien dans le maquis, au bivouac, par une belle nuit comme celle-ci ?

– Oh oui ! la belle nuit ! dit Orso. Je ne l'oublierai jamais !

– Que vous devez souffrir ! dit Miss Nevil.

– Je ne souffre plus, dit Orso, et je voudrais mourir ici. »

Et sa main droite se rapprochait de celle de Miss Lydia, que Colomba tenait toujours emprisonnée.

« Il faut absolument qu'on vous transporte quelque part où l'on pourra vous donner des soins, monsieur della Rebbia, dit Miss Nevil. Je ne pourrai plus dormir, maintenant que je vous ai vu si mal couché... en plein air...

– Si je n'eusse craint de vous rencontrer, Miss Nevil, j'aurais essayé de retourner à Pietranera, et je me serais constitué prisonnier.

– Et pourquoi craigniez-vous de la rencontrer, Orso ? demanda Colomba.

– Je vous avais désobéi, Miss Nevil... et je n'aurais pas osé vous voir en ce moment.

– Savez-vous, Miss Lydia, que vous faites faire à mon frère tout ce que vous voulez ? dit Colomba en riant. Je vous empêcherai de le voir.

– J'espère, dit Miss Nevil, que cette malheureuse affaire va s'éclaircir, et que bientôt vous n'aurez plus rien à craindre... Je serai bien contente si, lorsque nous partirons, je sais qu'on vous a rendu justice et qu'on a reconnu votre loyauté comme votre bravoure.

– Vous partez, Miss Nevil ! Ne dites pas encore ce mot-là.

– Que voulez-vous... mon père ne peut pas chasser toujours... Il veut partir. »

Orso laissa retomber sa main qui touchait celle de Miss Lydia, et il y eut un mouvement de silence.

« Bah ! reprit Colomba, nous ne vous laisserons pas partir si vite. Nous avons encore bien des choses à vous montrer à Pietranera... D'ailleurs, vous m'avez promis de faire mon portrait, et vous n'avez pas encore commencé... Et puis je vous ai promis de vous faire une *serenata* en soixante et quinze couplets... Et puis... Mais qu'a donc Brusco à grogner ?... Voilà Brandolaccio qui court après lui... Voyons ce que c'est. »

Aussitôt elle se leva, et posant sans cérémonie la tête d'Orso sur les genoux de Miss Nevil, elle courut auprès des bandits.

Un peu étonnée de se trouver ainsi soutenant un beau jeune homme, en tête-à-tête avec lui au milieu d'un maquis, Miss Nevil ne savait trop que faire, car, en se retirant brusquement, elle craignait de faire mal au blessé. Mais Orso quitta lui-même le doux appui que sa sœur venait de lui donner, et, se soulevant sur son bras droit :

« Ainsi, vous partez bientôt, Miss Lydia ? Je n'avais pensé que vous dussiez prolonger votre séjour dans ce malheureux pays..., et pourtant... depuis que vous êtes venue ici, je souffre cent fois plus en songeant qu'il faut vous dire adieu... Je suis un pauvre lieutenant... sans avenir..., proscrit maintenant...

Quel moment, Miss Lydia, pour vous dire que je vous aime... mais c'est sans doute la seule fois que je pourrai vous le dire, et il me semble que je suis moins malheureux, maintenant que j'ai soulagé mon cœur. »

Miss Lydia détourna la tête, comme si l'obscurité ne suffisait pas pour cacher sa rougeur :

« Monsieur della Rebbia, dit-elle d'une voix tremblante, serais-je venue en ce lieu si... ! Et, tout en parlant, elle mettait dans la main d'Orso le talisman égyptien. Puis, faisant un effort violent pour reprendre le ton de plaisanterie qui lui était habituel :

« C'est bien mal à vous, monsieur Orso, de parler ainsi... Au milieu du maquis, entourée de vos bandits, vous savez bien que je n'oserais jamais me fâcher contre vous. »

Orso fit un mouvement pour baiser la main qui lui rendait le talisman ; et comme Miss Lydia la retirait un peu vite, il perdit l'équilibre et tomba sur son bras blessé. Il ne put retenir un gémissement douloureux.

« Vous vous êtes fait mal, mon ami ? s'écria-t-elle, en le soulevant ; c'est ma faute ! pardonnez-moi... »
Ils se parlèrent encore quelque temps à voix basse, et fort rapprochés l'un de l'autre. Colomba, qui accourait précipitamment, les trouva précisément dans la position où elle les avait laissés.

« Les voltigeurs ! s'écria-t-elle. Orso, essayez de vous lever et de marcher, je vous aiderai.

– Laissez-moi, dit Orso. Dis aux bandits de se sauver... ; qu'on me prenne, peu m'importe ; mais emmène Miss Lydia : au nom de Dieu, qu'on ne la voie pas ici !

– Je ne vous laisserai pas, dit Brandolaccio qui suivait Colomba. Le sergent des voltigeurs est un filleul de l'avocat ; au lieu de vous arrêter, il vous tuera, et puis il dira qu'il ne l'a pas fait exprès. »

Orso essaya de se lever, il fit même quelques pas ; mais, s'arrêtant bientôt :

« Je ne puis marcher, dit-il. Fuyez, vous autres. Adieu, Miss Nevil ; donnez-moi la main, et adieu !

– Nous ne vous quitterons pas ! s'écrièrent les deux femmes.

– Si vous ne pouvez marcher, dit Brandolaccio, il faudra que je vous porte. Allons, mon lieutenant, un peu de courage ; nous aurons le temps de décamper par le ravin, là derrière. M. le curé va leur donner de l'occupation.

– Non, laissez-moi, dit Orso en se couchant par terre. Au nom de Dieu, Colomba, emmène Miss Nevil !

– Vous êtes forte, mademoiselle Colomba, dit Brandolaccio ; empoignez-le par les épaules, moi je tiens les pieds ; bon ! en avant, marche ! »

Ils commencèrent à le porter rapidement, malgré ses protestations ; Miss Lydia les suivait, horriblement effrayée, lorsqu'un coup de fusil se fit entendre, auquel cinq ou six autres répondirent aussitôt. Miss Lydia poussa un cri, Brandolaccio une imprécation, mais il redoubla de vitesse, et Colomba, à son exemple, courait au travers du maquis, sans faire attention aux branches qui lui fouettaient la figure ou qui déchiraient sa robe.

« Baissez-vous, baissez-vous, ma chère, disait-elle à sa compagne, une balle peut nous attraper. »

On marcha ou plutôt on courut environ cinq cents pas de la sorte, lorsque Brandolaccio déclara qu'il n'en pouvait plus, et se laissa tomber à terre, malgré les exhortations et les reproches de Colomba.

« Où est Miss Nevil ? » demandait Orso.

Miss Nevil, effrayée par les coups de fusil, arrêtée à chaque instant par l'épaisseur du maquis, avait bientôt perdu la trace des fuġitifs, et était demeurée seule en proie aux plus vives angoisses.

« Elle est restée en arrière, dit Brandolaccio, mais elle n'est pas perdue, les femmes se retrouvent toujours. Écoutez donc, Ors' Anton', comme le curé fait du tapage avec votre fusil. Malheureusement on n'y voit goutte, et l'on ne se fait pas grand mal à se tirailler de nuit.

– Chut ! s'écria Colomba ; j'entends un cheval, nous sommes sauvés. »

En effet, un cheval qui paissait dans le maquis, effrayé par le bruit de la fusillade, s'approchait de leur côté.

« Nous sommes sauvés ! » répéta Brandolaccio.

Courir au cheval, le saisir par les crins, lui passer dans la bouche un nœud de corde en guise de bride, fut pour le bandit, aidé de Colomba, l'affaire d'un moment.

« Prévenons maintenant le curé », dit-il.

Il siffla deux fois ; un sifflet éloigné répondit à ce

signal, et le fusil de Manton cessa de faire entendre sa grosse voix. Alors Brandolaccio sauta sur le cheval. Colomba plaça son frère devant le bandit, qui d'une main le serra fortement, tandis que de l'autre, il dirigeait sa monture. Malgré sa double charge, le cheval, excité par deux bons coups de pied dans le ventre, partit lestement et descendit au galop un coteau escarpé où tout autre qu'un cheval corse se serait tué cent fois.

Colomba revint alors sur ses pas, appelant Miss Nevil de toutes ses forces, mais aucune voix ne répondait à la sienne... Après avoir marché quelque temps à l'aventure, cherchant à retrouver le chemin qu'elle avait suivi, elle rencontra dans un sentier deux voltigeurs qui lui crièrent : « Qui vive ? »

« Eh bien, messieurs, dit Colomba d'un ton railleur, voilà bien du tapage. Combien de morts ?

— Vous étiez avec les bandits, dit un des soldats, vous allez venir avec nous.

— Très volontiers, répondit-elle ; mais j'ai une amie ici, et il faut que nous la trouvions d'abord.

— Votre amie est déjà prise, et vous irez avec elle coucher en prison.

— En prison ? c'est ce qu'il faudra voir ; mais, en attendant, menez-moi auprès d'elle. »

Les voltigeurs la conduisirent alors dans le campement des bandits, où ils rassemblaient les trophées de leur expédition, c'est-à-dire le pilone qui couvrait Orso, une vieille marmite et une cruche pleine d'eau. Dans le même lieu se trouvait Miss Nevil, qui, rencontrée par les soldats à demi morte de peur, répondait par des larmes à toutes leurs questions sur le nombre des bandits et la direction qu'ils avaient prise.

Colomba se jeta dans ses bras et lui dit à l'oreille : « Ils sont sauvés. »

Puis, s'adressant au sergent des voltigeurs :

« Monsieur, lui dit-elle, vous voyez bien que mademoiselle ne sait rien de ce que vous lui demandez. Laissez-nous revenir au village, où l'on nous attend avec impatience.

— On vous y mènera, et plus tôt que vous ne le désirez, ma mignonne, dit le sergent, et vous aurez à expliquer ce que vous faisiez dans le maquis à cette heure avec les brigands qui viennent de s'enfuir. Je ne sais quel sortilège emploient ces coquins, mais ils fascinent sûrement les filles, car partout où il y a des bandits on est sûr d'en trouver de jolies.

— Vous êtes galant, monsieur le sergent, dit Colomba, mais vous ne ferez pas mal de faire attention à vos paroles. Cette demoiselle est une parente du préfet, et il ne faut pas badiner avec elle.

— Parente du préfet ! murmura un voltigeur à son chef ; en effet, elle a un chapeau.

— Le chapeau n'y fait rien, dit le sergent. Elles étaient toutes les deux avec le curé, qui est le plus grand enjôleur du pays, et mon devoir est de les emmener. Aussi bien, n'avons-nous plus rien à faire ici. Sans ce maudit caporal Taupin..., l'ivrogne de Français s'est montré avant que je n'eusse cerné le maquis... sans lui nous les prenions comme dans un filet.

« – Vous êtes sept ? demanda Colomba. Savez-vous, messieurs, que si par hasard les trois frères Gambini, Sarocchi et Théodore Poli se trouvaient à la croix de Sainte-Christine avec Brandolaccio et le curé, ils pourraient vous donner bien des affaires. Si vous devez avoir une conversation avec le *Commandant de la campagne* [1] je ne me soucierais pas de m'y trouver. Les balles ne connaissent personne la nuit. »

La possibilité d'une rencontre avec les redoutables bandits que Colomba venait de nommer parut faire impression sur les voltigeurs. Toujours pestant contre le caporal Taupin, le chien de Français, le sergent donna l'ordre de la retraite, et sa petite troupe prit le chemin de Pietranera, emportant le pilone et la marmite. Quant à la cruche, un coup de pied en fit justice. Un voltigeur voulut prendre le bras de Miss Lydia ; mais Colomba le repoussant aussitôt :

« Que personne ne la touche ! dit-elle. Croyez-vous que nous avons envie de nous enfuir ! Allons, Lydia, ma chère, appuyez-vous sur moi, et ne pleurez pas comme un enfant. Voilà une aventure, mais elle ne finira pas mal ; dans une demi-heure nous serons à souper. Pour ma part, j'en meurs d'envie.

– Que pensera-t-on de moi ? disait tout bas Miss Nevil.

– On pensera que vous vous êtes engagée dans le maquis, voilà tout.

– Que dira le préfet ?... que dira mon père surtout ?

1. C'était le titre que prenait Théodore Poli.

– Le préfet ?... vous lui répondrez qu'il se mêle
de sa préfecture. Votre père ?... à la manière dont
vous causiez avec Orso, j'aurais cru que vous aviez
quelque chose à dire à votre père. »

Miss Nevil lui serra le bras sans répondre.

« N'est-ce pas, murmura Colomba dans son
oreille, que mon frère mérite qu'on l'aime ? Ne
l'aimez-vous pas un peu ?

– Ah ! Colomba, répondit Miss Nevil souriant
malgré sa confusion, vous m'avez trahie, moi qui
avais tant de confiance en vous ! »

Colomba lui passa un bras autour de la taille, et
l'embrassant sur le front :

« Ma petite sœur, dit-elle bien bas, me pardonnez-
vous ?

– Il le faut bien, ma terrible sœur », répondit
Lydia en lui rendant son baiser.

Le préfet et le procureur du roi logeaient chez
l'adjoint de Pietranera, et le colonel, fort inquiet de
sa fille, venait pour la vingtième fois leur en
demander des nouvelles, lorsqu'un voltigeur, détaché en courrier par le sergent, leur fit le récit du
terrible combat livré contre les brigands, combat
dans lequel il n'y avait eu, il est vrai, ni morts ni
blessés, mais où l'on avait pris une marmite, un
pilone et deux filles qui étaient, disait-il, les maîtresses ou les espionnes des bandits. Ainsi annoncées
comparurent les deux prisonnières au milieu de leur
escorte armée. On devine la contenance radieuse de
Colomba, la honte de sa compagne, la surprise du
préfet, la joie et l'étonnement du colonel. Le

procureur du roi se donna le malin plaisir de faire subir à la pauvre Lydia une espèce d'interrogatoire qui ne se termina que lorsqu'il lui eut fait perdre toute contenance.

« Il me semble, dit le préfet, que nous pouvons bien mettre tout le monde en liberté. Ces demoiselles ont été se promener, rien de plus naturel par un beau temps ; elles ont rencontré par hasard un aimable jeune homme blessé, rien de plus naturel encore. »

Puis, prenant à part Colomba :

« Mademoiselle, dit-il, vous pouvez mander à votre frère que son affaire tourne mieux que je ne l'espérais. L'examen des cadavres, la déposition du colonel, démontrent qu'il n'a fait que riposter, et qu'il était seul au moment du combat. Tout s'arrangera, mais il faut qu'il quitte le maquis au plus vite, et qu'il se constitue prisonnier. »

Il était près de onze heures lorsque le colonel, sa fille et Colomba se mirent à table devant un souper refroidi. Colomba mangeait de bon appétit, se moquant du préfet, du procureur du roi et des voltigeurs. Le colonel mangeait mais ne disait mot, regardant toujours sa fille qui ne levait pas les yeux de dessus son assiette. Enfin, d'une voix douce, mais grave :

« Lydia, lui dit-il en anglais, vous êtes donc engagée avec della Rebbia ?

– Oui, mon père, depuis aujourd'hui », répondit-elle en rougissant, mais d'une voix ferme.

Puis elle leva les yeux, et, n'apercevant sur la physionomie de son père aucun signe de courroux, elle se jeta dans ses bras et l'embrassa, comme les demoiselles bien élevées font en pareille occasion.

« A la bonne heure, dit le colonel, c'est un brave garçon ; mais, par Dieu ! nous ne demeurerons pas dans son pays ! ou je refuse mon consentement.

– Je ne sais pas l'anglais, dit Colomba, qui les regardait avec une extrême curiosité ; mais je parie que j'ai deviné ce que vous dites.

– Nous disons, répondit le colonel, que nous vous mènerons faire un voyage en Irlande.

– Oui, volontiers, et je serai la *surella Colomba*. Est-ce fait, colonel ? Nous frappons-nous dans la main ?

– On s'embrasse dans ce cas-là », dit le colonel.

CHAPITRE XX

Quelques mois après le coup double qui plongea la commune de Pietranera dans la consternation (comme dirent les journaux), un jeune homme, le bras gauche en écharpe, sortit à cheval de Bastia dans l'après-midi, et se dirigea vers le village de Cardo, célèbre par sa fontaine, qui, en été, fournit aux gens délicats de la ville une eau délicieuse. Une jeune femme, d'une taille élevée et d'une beauté remarquable, l'accompagnait montée sur un petit cheval noir dont un connaisseur eût admiré la force et l'élégance, mais qui malheureusement avait une oreille déchiquetée par un accident bizarre. Dans le village, la jeune femme sauta lestement à terre, et, après avoir aidé son compagnon à descendre de sa monture, détacha d'assez lourdes sacoches attachées à l'arçon de sa selle. Les chevaux furent remis à la garde d'un paysan, et la femme chargée des sacoches qu'elle cachait sous son mezzaro, le jeune homme portant un fusil double, prirent le chemin de la montagne en suivant un sentier fort raide et qui ne semblait conduire à aucune habitation. Arrivés à un des gradins élevés du mont Quercio, ils s'arrêtèrent, et tous les deux s'assirent sur l'herbe. Ils paraissaient attendre quelqu'un, car ils tournaient sans cesse les yeux vers la montagne, et la jeune femme consultait souvent une jolie montre d'or, peut-être autant pour contempler un bijou qu'elle semblait posséder depuis peu de temps que pour savoir si l'heure d'un rendez-vous était arrivée Leur attente ne fut pas longue. Un chien sortit du maquis, et, au nom de Brusco prononcé par la jeune femme, il s'empressa de venir les caresser. Peu après parurent deux hommes barbus, le fusil sous le bras, la cartouchière à la ceinture, le pistolet au côté. Leurs habits déchirés et couverts de pièces contrastaient avec leurs armes brillantes et d'une fabrique renommée du continent. Malgré l'inégalité apparente de leur position, les quatre personnages de cette scène s'abordèrent familièrement et comme de vieux amis.

« Eh bien, Ors' Anton', dit le plus âgé des bandits au jeune homme, voilà votre affaire finie. Ordonnance de non-lieu. Mes compliments. Je suis fâché que l'avocat ne soit plus dans l'île pour le voir enrager. Et votre bras ?

— Dans quinze jours, répondit le jeune homme, on me dit que je pourrai quitter mon écharpe. — Brando, mon brave, je vais partir demain pour l'Italie, et j'ai voulu te dire adieu, ainsi qu'à M. le curé. C'est pourquoi je vous ai priés de venir.

— Vous êtes bien pressés, dit Brandolaccio : vous êtes acquitté d'hier et vous partez demain ?

— On a des affaires, dit gaiement la jeune femme. Messieurs, je vous ai apporté à souper : mangez, et n'oubliez pas mon ami Brusco.

— Vous gâtez Brusco, mademoiselle Colomba, mais il est reconnaissant. Vous allez voir. Allons, Brusco, dit-il, étendant son fusil horizontalement, saute pour les Barricini. »

Le chien demeura immobile, se léchant le museau et regardant son maître.

« Saute pour les della Rebbia ! »

Et il sauta deux pieds plus haut qu'il n'était nécessaire.

« Écoutez, mes amis, dit Orso, vous faites un vilain métier ; et s'il ne vous arrive pas de terminer votre carrière sur cette place que nous voyons là-bas [1], le mieux qui vous puisse advenir, c'est de tomber dans un maquis sous la balle d'un gendarme.

— Eh bien, dit Castriconi, c'est une mort comme une autre, et qui vaut mieux que la fièvre qui vous tue dans un lit, au milieu des larmoiements plus ou

---

1. La place où se font les exécutions à Bastia.

moins sincères de vos héritiers. Quand on a, comme nous, l'habitude du grand air, il n'y a rien de tel que de mourir dans ses souliers, comme disent nos gens de village.

– Je voudrais, poursuivit Orso, vous voir quitter ce pays... et mener une vie plus tranquille. Par exemple, pourquoi n'iriez-vous pas vous établir en Sardaigne, ainsi qu'ont fait plusieurs de vos camarades ? Je pourrais vous en faciliter les moyens.

– En Sardaigne ! s'écria Brandolaccio. *Istos Sardos !* que le diable les emporte avec leur patois. C'est trop mauvaise compagnie pour nous.

– Il n'y a pas de ressource en Sardaigne, ajouta le théologien. Pour moi, je méprise les Sardes. Pour donner la chasse aux bandits, ils ont une milice à cheval ; cela fait la critique à la fois des bandits et du pays [1]. Fi de la Sardaigne ! C'est une chose qui m'étonne, monsieur della Rebbia, que vous, qui êtes un homme de goût et de savoir, vous n'ayez pas adopté notre vie du maquis, en ayant goûté comme vous avez fait.

– Mais, dit Orso en souriant, lorsque j'avais l'avantage d'être votre commensal, je n'étais pas trop en état d'apprécier les charmes de votre position, et les côtes me font mal encore quand je me rappelle

---

1. Je dois cette observation critique sur la Sardaigne à un ex-bandit de mes amis, et c'est à lui seul qu'en appartient la responsabilité. Il veut dire que des bandits qui se laissent prendre par des cavaliers sont des imbéciles, et qu'une milice qui poursuit à cheval les bandits n'a guère de chances de les rencontrer.

"Des hommes barbus (...) aux habits déchirés et couverts de pièces." (Bergers corses)

la course que je fis une belle nuit, mis en travers comme un paquet sur un cheval sans selle que conduisait mon ami Brandolaccio.

— Et le plaisir d'échapper à la poursuite, reprit Castriconi, le comptez-vous pour rien ? Comment pouvez-vous être insensible au charme d'une liberté absolue sous un beau climat comme le nôtre ? Avec ce porte-respect (il montrait son fusil), on est roi partout, aussi loin qu'il peut porter la balle. On commande, on redresse les torts... C'est un divertissement très moral, monsieur, et très agréable, que nous ne nous refusons point. Quelle plus belle vie que celle de chevalier errant, quand on est mieux armé et plus sensé que don Quichotte ? Tenez, l'autre jour, j'ai su que l'oncle de la petite Luigi, le vieux ladre qu'il est, ne voulait pas lui donner une dot, je lui ai écrit, sans menaces, ce n'est pas ma manière ; eh bien, voilà un homme à l'instant convaincu ; il l'a mariée. J'ai fait le bonheur de deux personnes. Croyez-moi, monsieur Orso, rien n'est comparable à la vie de bandit. Bah ! vous deviendriez peut-être des nôtres sans une certaine Anglaise que je n'ai fait qu'entrevoir, mais dont ils parlent tous, à Bastia, avec admiration.

— Ma belle-sœur future n'aime pas le maquis, dit Colomba en riant, elle y a eu trop peur.

— Enfin, dit Orso, voulez-vous rester ici ? Soit. Dites-moi si je puis faire quelque chose pour vous.

— Rien, dit Brandolaccio, que de nous conserver un petit souvenir. Vous nous avez comblés. Voilà Chilina qui a une dot, et qui, pour bien s'établir, n'aura pas besoin que mon ami le curé écrive des lettres de menaces. Nous savons que votre fermier nous donnera du pain et de la poudre en nos nécessités : ainsi, adieu. J'espère vous revoir en Corse un de ces jours.

– Dans un moment pressant, dit Orso, quelques pièces d'or font grand bien. Maintenant que nous sommes de vieilles connaissances, vous ne me refuserez pas cette petite cartouche qui peut vous servir à vous en procurer d'autres.

– Pas d'argent entre nous, lieutenant, dit Brandolaccio d'un ton résolu.

– L'argent fait tout dans le monde, dit Castriconi ; mais dans le maquis on ne fait cas que d'un cœur brave et d'un fusil qui ne rate pas.

– Je ne voudrais pas vous quitter, reprit Orso, sans vous laisser quelque souvenir. Voyons, que puis-je te laisser, Brando ? »

Le bandit se gratta la tête, et, jetant sur le fusil d'Orso un regard oblique :

« Dame, mon lieutenant... si j'osais... mais non, vous y tenez trop.

– Qu'est-ce que tu veux ?

– Rien... la chose n'est rien... Il faut encore la manière de s'en servir. Je pense toujours à ce diable de coup double et d'une seule main... Oh ! cela ne se fait pas deux fois.

– C'est ce fusil que tu veux ?... Je te l'apportais ; mais sers-t'en le moins que tu pourras.

– Oh ! je ne vous promets pas de m'en servir comme vous ; mais, soyez tranquille, quand un autre

l'aura, vous pourrez dire que Brando Savelli a passé
l'arme à gauche.

— Et vous, Castriconi, que vous donnerai-je ?

— Puisque vous voulez absolument me laisser un
souvenir matériel de vous, je vous demanderai sans
façon de m'envoyer un Horace du plus petit format
possible. Cela me distraira et m'empêchera d'oublier
mon latin. Il y a une petite qui vend des cigares à
Bastia, sur le port ; donnez-le-lui, et elle me le
remettra.

— Vous aurez un Elzévir, monsieur le savant ; il y
en a précisément un parmi les livres que je voulais
emporter. — Eh bien, mes amis, il faut nous séparer.
Une poignée de main. Si vous pensez un jour à la
Sardaigne, écrivez-moi ; l'avocat N. vous donnera
mon adresse sur le continent.

— Mon lieutenant, dit Brando, demain, quand vous
serez hors du port, regardez sur la montagne, à cette
place ; nous y serons, et nous vous ferons signe avec
nos mouchoirs. »

Ils se séparèrent alors : Orso et sa sœur prirent
le chemin de Cardo, et les bandits, celui de la
montagne.

CHAPITRE XXI

Par une belle matinée d'avril, le colonel Sir Thomas Nevil, sa fille mariée depuis peu de jours, Orso

"Demain, quand vous serez hors du port, regardez sur la montagne, nous y serons, et nous vous ferons signe avec nos mouchoirs". (Le port de Bastia au XIXe siècle)

et Colomba sortirent de Pise en calèche pour aller visiter un hypogée étrusque, nouvellement découvert, que tous les étrangers allaient voir. Descendus dans l'intérieur du monument, Orso et sa femme tirèrent des crayons et se mirent en devoir d'en dessiner les peintures ; mais le colonel et Colomba, l'un et l'autre assez indifférents pour l'archéologie, les laissèrent seuls et se promenèrent aux environs.

« Ma chère Colomba, dit le colonel, nous ne reviendrons jamais à Pise à temps pour notre *luncheon*. Est-ce que vous n'avez pas faim ? Voilà Orso et sa femme dans les antiquités ; quand ils se mettent à dessiner ensemble, ils n'en finissent pas.

— Oui, dit Colomba, et pourtant ils ne rapportent pas un bout de dessin.

— Mon avis serait, continua le colonel, que nous allassions à cette petite ferme là-bas. Nous y trouverons du pain, et peut-être de l'*alealico*, qui sait ? même de la crème et des fraises, et nous attendrons patiemment nos dessinateurs.

— Vous avez raison, colonel. Vous et moi, qui sommes les gens raisonnables de la maison, nous aurions bien tort de nous faire les martyrs de ces amoureux, qui ne vivent que de poésie. Donnez-moi le bras. N'est-ce pas que je me forme ? Je prends le bras, je mets des chapeaux, des robes à la mode ; j'ai des bijoux ; j'apprends je ne sais combien de belles choses ; je ne suis plus du tout une sauvagesse. Voyez un peu la grâce que j'ai à porter ce châle... Ce blondin, cet officier de votre régiment, qui était au mariage... mon Dieu ! je ne puis pas retenir son

nom ; un grand frisé, que je jetterais par terre d'un
coup de poing...

— Chatworth ? dit le colonel.

— A la bonne heure ! mais je ne le prononcerai
jamais. Eh bien, il est amoureux fou de moi.

— Ah ! Colomba, vous devenez bien coquette.
Nous aurons dans peu un autre mariage.

— Moi ! me marier ? Et qui donc élèverait mon
neveu... quand Orso m'en aura donné un ? qui donc
lui apprendrait à parler corse ?... Oui, il parlera
corse, et je lui ferai un bonnet pointu pour vous faire
enrager.

— Attendons d'abord que vous ayez un neveu ; et
puis vous lui apprendrez à jouer du stylet, si bon
vous semble.

— Adieu les stylets, dit gaiement Colomba ; maintenant j'ai un éventail, pour vous en donner sur les
doigts quand vous direz du mal de mon pays. »

Causant ainsi, ils entrèrent dans la ferme où ils
trouvèrent vin, fraises et crème. Colomba aida la
fermière à cueillir des fraises pendant que le colonel
buvait de l'*alealico*. Au détour d'une allée, Colomba
aperçut un vieillard assis au soleil sur une chaise de
paille, malade, comme il semblait ; car il avait les
joues creuses, les yeux enfoncés ; il était d'une
maigreur extrême, et son immobilité, sa pâleur, son
regard fixe, le faisaient ressembler à un cadavre
plutôt qu'à un être vivant. Pendant plusieurs minutes, Colomba le contempla avec tant de curiosité
qu'elle attira l'attention de la fermière.

« Ce pauvre vieillard, dit-elle, c'est un de vos

compatriotes, car je connais bien à votre parler que
vous êtes de la Corse, mademoiselle. Il a eu des
malheurs dans son pays ; ses enfants sont morts
d'une façon terrible. On dit, je vous demande
pardon, mademoiselle, que vos compatriotes ne sont
pas tendres dans leurs inimitiés. Pour lors, ce pauvre
monsieur, resté seul, s'en est venu à Pise, chez une
parente éloignée, qui est la propriétaire de cette
ferme. Le brave homme est un peu timbré ; c'est le
malheur et le chagrin... C'est gênant pour madame
qui reçoit beaucoup de monde ; elle l'a donc envoyé
ici. Il est bien doux, pas gênant ; il ne dit pas
trois paroles dans un jour. Par exemple, la tête a
déménagé. Le médecin vient toutes les semaines, et
il dit qu'il n'en a pas pour longtemps.

– Ah ! il est condamné ? dit Colomba. Dans sa
position, c'est un bonheur d'en finir.

– Vous devriez, mademoiselle, lui parler un peu
corse ; cela le ragaillardirait peut-être d'entendre le
langage de son pays.

– Il faut voir », dit Colomba avec un sourire
ironique.

Et elle s'approcha du vieillard jusqu'à ce que son
ombre vînt lui ôter le soleil. Alors le pauvre idiot
leva la tête et regarda fixement Colomba, qui le
regardait de même, souriant toujours. Au bout d'un
instant, le vieillard passa la main sur son front, et
ferma les yeux comme pour échapper au regard de
Colomba. Puis il les rouvrit, mais démesurément ;
ses lèvres tremblaient ; il voulait étendre les mains ;
mais, fasciné par Colomba, il demeurait cloué sur

sa chaise, hors d'état de parler ou de se mouvoir. Enfin de grosses larmes coulèrent de ses yeux, et quelques sanglots s'échappèrent de sa poitrine.

« Voilà la première fois que je le vois ainsi, dit la jardinière. Mademoiselle est une demoiselle de votre pays ; elle est venue pour vous voir, dit-elle au vieillard.

– Grâce ! s'écria celui-ci d'une voix rauque ; grâce ! n'es-tu pas satisfaite ? Cette feuille... que j'avais brûlée... comment as-tu fait pour la lire ?... Mais pourquoi tous les deux ?... Orlanduccio, tu n'as rien pu lire contre lui... il fallait m'en laisser un... un seul... Orlanduccio... tu n'as pas lu son nom...

– Il me les fallait tous les deux, lui dit Colomba à voix basse et dans le dialecte corse. Les rameaux sont coupés ; et, si la souche n'était pas pourrie, je l'eusse arrachée. Va, ne te plains pas ; tu n'as pas longtemps à souffrir. Moi, j'ai souffert deux ans ! »

Le vieillard poussa un cri, et sa tête tomba sur sa poitrine. Colomba lui tourna le dos, et revint à pas lents vers la maison en chantant quelques mots incompréhensibles d'une ballata : « Il me faut la main qui a tiré, l'œil qui a visé, le cœur qui a pensé... »

Pendant que la jardinière s'empressait à secourir le vieillard, Colomba, le teint animé, l'œil en feu, se mettait à table devant le colonel.

« Qu'avez-vous donc ? dit-il, je vous trouve l'air que vous aviez à Pietranera, ce jour où, pendant notre dîner, on nous envoya des balles.

– Ce sont des souvenirs de la Corse qui me sont

revenus en tête. Mais voilà qui est fini. Je serai marraine, n'est-ce pas ? Oh ! quels beaux noms je lui donnerai : Ghilfuccio-Tomaso-Orso-Leone ! »

La jardinière rentrait à ce moment.

« Eh bien, demanda Colomba du plus grand sang-froid, est-il mort, ou évanoui seulement ?

— Ce n'était rien, mademoiselle, mais c'est singulier comme votre vue lui a fait de l'effet.

— Et le médecin dit qu'il n'en a pas pour longtemps ?

— Pas pour deux mois, peut-être.

— Ce ne sera pas une grande perte, observa Colomba.

— De qui diable parlez-vous ? demanda le colonel.

— D'un idiot de mon pays, dit Colomba d'un air d'indifférence, qui est en pension ici. J'enverrai savoir de temps en temps de ses nouvelles. Mais, colonel Nevil, laissez donc des fraises pour mon frère et pour Lydia. »

Lorsque Colomba sortit de la ferme pour remonter dans la calèche, la fermière la suivit des yeux quelque temps.

— « Tu vois bien cette demoiselle si jolie, dit-elle à sa fille, eh bien, je suis sûre qu'elle a le mauvais œil. »

1840.

CARMEN

« Toute femme est comme le fiel ; mais elle a deux bonnes heures, une au lit, l'autre à sa mort. »

PALLADAS.

I

J'avais toujours soupçonné les géographes de ne savoir ce qu'ils disent lorsqu'ils placent le champ de bataille de Munda dans le pays des Bastuli-Pœni, près de la moderne Monda, à quelque deux lieues au nord de Marbella. D'après mes propres conjectures sur le texte de l'anonyme, auteur du *Bellum Hispaniense*, et quelques renseignements recueillis dans l'excellente bibliothèque du duc d'Ossuna, je pensais qu'il fallait chercher aux environs de Montilla, le lieu mémorable où, pour la dernière fois, César joua quitte ou double contre les champions de la république. Me trouvant en Andalousie au commencement de l'automne de 1830, je fis une assez longue

excursion pour éclaircir les doutes qui me restaient
encore. Un mémoire que je publierai prochainement
ne laissera plus, je l'espère, aucune incertitude dans
l'esprit de tous les archéologues de bonne foi. En
attendant que ma dissertation résolve enfin le
problème géographique qui tient toute l'Europe
savante en suspens, je veux vous raconter une petite
histoire ; elle ne préjuge rien sur l'intéressante
question de l'emplacement de Munda.

J'avais loué à Cordoue un guide et deux chevaux,
et m'étais mis en campagne avec les *Commentaires* de
César et quelques chemises pour tout bagage.
Certain jour, errant dans la partie élevée de la plaine
de Cachena, harassé de fatigue, mourant de soif,
brûlé par un soleil de plomb, je donnais au diable
de bon cœur César et les fils de Pompée, lorsque
j'aperçus assez loin du sentier que je suivais, une
petite pelouse verte parsemée de joncs et de roseaux.
Cela m'annonçait le voisinage d'une source. En effet,
en m'approchant, je vis que la prétendue pelouse
était un marécage où se perdait un ruisseau, sortant,
comme il semblait, d'une gorge étroite entre deux
hauts contreforts de la sierra de Cabra. Je conclus
qu'en remontant je trouverais de l'eau plus fraîche,
moins de sangsues et de grenouilles, et peut-être un
peu d'ombre au milieu des rochers. A l'entrée de la
gorge, mon cheval hennit, et un autre cheval, que
je ne voyais pas, lui répondit aussitôt. A peine eus-je
fait une centaine de pas, que la gorge, s'élargissant
tout à coup, me montra une espèce de cirque naturel
parfaitement ombragé par la hauteur des escarpe-

"Errant dans la partie élevée de la plaine, harassé de fatigue, mourant de soif, brûlé par un soleil de plomb (...) j'aperçus une gorge étroite entre deux hauts contreforts."

ments qui l'entouraient. Il était impossible de
rencontrer un lieu qui promît au voyageur une halte
plus agréable. Au pied de rochers à pics, la source
s'élançait en bouillonnant, et tombait dans un petit
bassin tapissé d'un sable blanc comme la neige. Cinq
à six beaux chênes verts, toujours à l'abri du vent
et rafraîchis par la source, s'élevaient sur ses bords,
et la couvraient de leur épais ombrage ; enfin, autour
du bassin, une herbe fine, lustrée, offrait un lit
meilleur qu'on n'en eût trouvé dans aucune auberge
à dix lieues à la ronde.

A moi n'appartenait pas l'honneur d'avoir découvert un si beau lieu. Un homme s'y reposait déjà,
et sans doute dormait, lorsque j'y pénétrai. Réveillé
par les hennissements, il s'était levé, et s'était
rapproché de son cheval, qui avait profité du sommeil
de son maître pour faire un bon repas de l'herbe aux
environs. C'était un jeune gaillard de taille moyenne,
mais d'apparence robuste, au regard sombre et fier.
Son teint, qui avait pu être beau, était devenu, par
l'action du soleil, plus foncé que ses cheveux. D'une
main il tenait le licol de sa monture, de l'autre une
espingole de cuivre. J'avouerai que d'abord l'espingole et l'air farouche du porteur me surprirent
quelque peu ; mais je ne croyais plus aux voleurs,
à force d'en entendre parler et de n'en rencontrer
jamais. D'ailleurs, j'avais vu tant d'honnêtes fermiers
s'armer jusqu'aux dents pour aller au marché, que
la vue d'une arme à feu ne m'autorisait pas à mettre
en doute la moralité de l'inconnu. – Et puis, me
disais-je, que ferait-il de mes chemises et de mes

Commentaires Elzévir ? Je saluai donc l'homme à l'espingole d'un signe de tête familier, et je lui demandai en souriant si j'avais troublé son sommeil. Sans me répondre, il me toisa de la tête aux pieds ; puis, comme satisfait de son examen, il considéra avec la même attention mon guide, qui s'avançait. Je vis celui-ci pâlir et s'arrêter en montrant une terreur évidente. Mauvaise rencontre ! me dis-je. Mais la prudence me conseilla aussitôt de ne laisser voir aucune inquiétude. Je mis pied à terre ; je dis au guide de débrider, et, m'agenouillant au bord de la source, j'y plongeai ma tête et mes mains ; puis je bus une bonne gorgée, couché à plat ventre, comme les mauvais soldats de Gédéon.

J'observais cependant mon guide et l'inconnu. Le premier s'approchait bien à contrecœur ; l'autre semblait n'avoir pas de mauvais desseins contre nous, car il avait rendu la liberté à son cheval, et son espingole, qu'il tenait d'abord horizontale, était maintenant dirigée vers la terre.

Ne croyant pas devoir me formaliser du peu de cas qu'on avait paru faire de ma personne, je m'étendis sur l'herbe, et d'un air dégagé je demandai à l'homme à l'espingole s'il n'avait pas un briquet sur lui. En même temps je tirai mon étui à cigares. L'inconnu, toujours sans parler, fouilla dans sa poche, prit son briquet, et s'empressa de me faire du feu. Évidemment il s'humanisait ; car il s'assit en face de moi, toutefois sans quitter son arme. Mon cigare allumé, je choisis le meilleur de ceux qui me restaient et je lui demandai s'il fumait.

– Oui, monsieur, répondit-il.

C'étaient les premiers mots qu'il faisait entendre,
et je remarquai qu'il ne prononçait pas l's à la
manière andalouse [1], d'où je conclus que c'était un
voyageur comme moi, moins archéologue seulement.

– Vous trouverez celui-ci assez bon, lui dis-je en
lui présentant un véritable régalia de la Havane.

Il me fit une légère inclinaison de la tête, alluma
son cigare au mien, me remercia d'un autre signe
de la tête, puis se mit à fumer avec l'apparence d'un
très grand plaisir.

– Ah ! s'écria-t-il en laissant échapper lentement
sa première bouffée par la bouche et les narines,
comme il y avait longtemps que je n'avais fumé !

En Espagne, un cigare donné et reçu établit des
relations d'hospitalité, comme en Orient le partage
du pain et du sel. Mon homme se montra plus
causant que je ne l'avais espéré. D'ailleurs, bien qu'il
se dît habitant du partido de Montilla, il paraissait
connaître le pays assez mal. Il ne savait pas le nom
de la charmante vallée où nous nous trouvions ; il
ne pouvait nommer aucun village des alentours ;
enfin, interrogé par moi s'il n'avait pas vu aux
environs des murs détruits, de larges tuiles à rebords,
des pierres sculptées, il confessa qu'il n'avait jamais
fait attention à pareilles choses. En revanche, il se
montra expert en matière de chevaux. Il critiqua le

---

1. Les Andalous aspirent l's et la confondent dans la
prononciation avec le *c* doux et le *z*, que les Espagnols
prononcent comme le *th* anglais. Sur le mot *Señor* on peut
reconnaître un Andalou.

mien, ce qui n'était pas difficile ; puis il me fit la
généalogie du sien, qui sortait du fameux haras de
Cordoue ; noble animal, en effet, si dur à la fatigue,
à ce que prétendait son maître, qu'il avait fait une
fois trente lieues dans un jour, au galop ou au grand
trot. Au milieu de sa tirade, l'inconnu s'arrêta
brusquement, comme surpris et fâché d'en avoir trop
dit. « C'est que j'étais très pressé d'aller à Cordoue,
reprit-il avec quelque embarras. J'avais à solliciter
les juges pour un procès... » En parlant, il regardait
mon guide Antonio, qui baissait les yeux.

L'ombre et la source me charmèrent tellement,
que je me souvins de quelques tranches d'excellent
jambon que mes amis de Montilla avaient mis dans
la besace de mon guide. Je les fis apporter, et j'invitai
l'étranger à prendre sa part de la collation impromp-
tue. S'il n'avait pas fumé depuis longtemps, il me
parut vraisemblable qu'il n'avait pas mangé depuis
quarante-huit heures au moins. Il dévorait comme
un loup affamé. Je pensai que ma rencontre avait été
providentielle pour le pauvre diable. Mon guide,
cependant, mangeait peu, buvait encore moins, et
ne parlait pas du tout, bien que depuis le commencement de notre voyage il se fût révélé à moi comme
un bavard sans pareil. La présence de notre hôte
semblait le gêner, et une certaine méfiance les
éloignait l'un de l'autre sans que j'en devinasse
positivement la cause.

Déjà les dernières miettes du pain et du jambon
avaient disparu ; nous avions fumé chacun un second
cigare ; j'ordonnai au guide de brider nos chevaux,

et j'allais prendre congé de mon nouvel ami, lorsqu'il me demanda où je comptais passer la nuit.

Avant que j'eusse fait attention à un signe de mon guide, j'avais répondu que j'allais à la venta del Cuervo.

– Mauvais gîte pour une personne comme vous, monsieur... J'y vais, et, si vous me permettez de vous accompagner, nous ferons route ensemble.

– Très volontiers, dis-je en montant à cheval.

Mon guide, qui me tenait l'étrier, me fit un nouveau signe des yeux. J'y répondis en haussant les épaules, comme pour l'assurer que j'étais parfaitement tranquille, et nous nous mîmes en chemin.

Les signes mystérieux d'Antonio, son inquiétude, quelques mots échappés à l'inconnu, surtout sa course de trente lieues et l'explication peu plausible qu'il en avait donnée, avaient déjà formé mon opinion sur le compte de mon compagnon de voyage. Je ne doutai pas que je n'eusse affaire à un contrebandier, peut-être à un voleur ; que m'importait ? Je connaissais assez le caractère espagnol pour être très sûr de n'avoir rien à craindre d'un homme qui avait mangé et fumé avec moi. Sa présence même était une protection assurée contre toute mauvaise rencontre. D'ailleurs, j'étais bien aise de savoir ce que c'est qu'un brigand. On n'en voit pas tous les jours, et il y a un certain charme à se trouver auprès d'un être dangereux, surtout lorsqu'on le sent doux et apprivoisé.

J'espérais amener par degrés l'inconnu à me faire des confidences, et, malgré les clignements d'yeux de mon guide, je mis la conversation sur les voleurs de grand chemin. Bien entendu que j'en parlai avec respect. Il y avait alors en Andalousie un fameux bandit nommé José-Maria, dont les exploits étaient dans toutes les bouches. « Si j'étais à côté de José-Maria ? » me disais-je... Je racontai les histoires que je savais de ce héros, toutes à sa louange d'ailleurs, et j'exprimai hautement mon admiration pour sa bravoure et sa générosité.

– José-Maria n'est qu'un drôle, dit froidement l'étranger.

« Se rend-il justice, ou bien est-ce excès de modestie de sa part ? » me demandai-je mentalement ; car, à force de considérer mon compagnon, j'étais parvenu à lui appliquer le signalement de José-Maria, que j'avais lu affiché aux portes de mainte ville d'Andalousie. Oui, c'est bien lui... Cheveux blonds, yeux bleus, grande bouche, belles dents, les mains petites ; une chemise fine, une veste de velours à boutons d'argent, des guêtres de peau blanche, un cheval bai... Plus de doute ! Mais respectons son incognito.

Nous arrivâmes à la venta. Elle était telle qu'il me l'avait dépeinte, c'est-à-dire une des plus misérables que j'eusse encore rencontrées. Une grande pièce servait de cuisine, de salle à manger et de chambre à coucher. Sur une pierre plate, le feu se faisait au milieu de la chambre et la fumée sortait par un trou pratiqué dans le toit, ou plutôt s'arrêtait, formant un nuage à quelques pieds au-dessus du sol. Le long du mur, on voyait étendues par terre cinq ou six

vieilles couvertures de mulets ; c'étaient les lits des
voyageurs. A vingt pas de la maison, ou plutôt de
l'unique pièce que je viens de décrire, s'élevait une
espèce de hangar servant d'écurie. Dans ce charmant
séjour, il n'y avait d'autres êtres humains, du moins
pour le moment, qu'une vieille femme et une petite
fille de dix à douze ans, toutes les deux de couleur
de suie et vêtues d'horribles haillons. – Voilà tout
ce qui reste, me dis-je, de la population de l'antique
Munda Bætica ! O César ! ô Sextus Pompée ! que
vous seriez surpris si vous reveniez au monde !

En apercevant mon compagnon, la vieille laissa
échapper une exclamation de surprise.

– Ah ! seigneur don José ! s'écria-t-elle.

Don José fronça le sourcil, et leva une main d'un
geste d'autorité qui arrêta la vieille aussitôt. Je me
tournai vers mon guide, et, d'un signe imperceptible,
je lui fis comprendre qu'il n'avait rien à m'apprendre
sur le compte de l'homme avec qui j'allais passer la
nuit. Le souper fut meilleur que je ne m'y attendais.
On nous servit, sur une petite table haute d'un pied,
un vieux coq fricassé avec du riz et force piments,
puis des piments à l'huile, enfin du *gaspacho*, espèce
de salade de piments. Trois plats ainsi épicés nous
obligèrent de recourir souvent à une outre de vin
de Montilla qui se trouva délicieux. Après avoir
mangé, avisant une mandoline accrochée contre la
muraille, – il y a partout des mandolines en Espagne,
– je demandai à la petite fille qui nous servait si elle
savait en jouer.

– Non, répondit-elle ; mais don José en joue si bien !

– Soyez assez bon, lui dis-je, pour me chanter quelque chose ; j'aime à la passion votre musique nationale.

– Je ne puis rien refuser à un monsieur si honnête qui me donne de si excellents cigares, s'écria don José d'un air de bonne humeur.

Et, s'étant fait donner la mandoline, il chanta en s'accompagnant. Sa voix était rude, mais pourtant agréable, l'air mélancolique et bizarre ; quant aux paroles, je n'en compris pas un mot.

– Si je ne me trompe, lui dis-je, ce n'est pas un air espagnol que vous venez de chanter. Cela ressemble aux *zorzicos,* que j'ai entendus dans les *Provinces* [1], et les paroles doivent être en langue basque.

– Oui, répondit don José d'un air sombre.

Il posa la mandoline à terre, et, les bras croisés, il se mit à contempler le feu qui s'éteignait, avec une singulière expression de tristesse. Éclairée par une lampe posée sur la petite table, sa figure, à la fois noble et farouche, me rappelait le Satan de Milton. Comme lui peut-être, mon compagnon songeait au séjour qu'il avait quitté, à l'exil qu'il avait encouru par une faute. J'essayai de ranimer la conversation mais il ne répondit pas, absorbé qu'il était dans ses tristes pensées. Déjà la vieille s'était couchée dans

1. *Les provinces privilégiées,* jouissant de *fueros* particuliers, c'est-à-dire l'Alava, la Biscaïe, la Guipuzcoa et une partie de la Navarre. Le basque est la langue du pays.

"Il se mit à contempler le feu qui s'éteignait avec une singulière expression de tristesse..."

un coin de la salle, à l'abri d'une couverture trouée
tendue sur une corde. La petite fille l'avait suivie dans
cette retraite réservée au beau sexe. Mon guide alors,
se levant, m'invita à le suivre à l'écurie ; mais, à ce
mot, dont José, comme réveillé en sursaut, lui
demanda d'un ton brusque où il allait.

– A l'écurie, répondit le guide.

– Pour quoi faire ? les chevaux ont à manger.
Couche ici, Monsieur le permettra.

– Je crains que le cheval de Monsieur ne soit
malade ; je voudrais que Monsieur le vît : peut-être
saura-t-il ce qu'il faut lui faire.

Il était évident qu'Antonio voulait me parler en
particulier ; mais je ne me souciais pas de donner
des soupçons à don José, et, au point où nous en
étions, il me semblait que le meilleur parti à prendre
était de montrer la plus grande confiance. Je
répondis donc à Antonio que je n'entendais rien aux
chevaux et que j'avais envie de dormir. Don José le
suivit à l'écurie, d'où bientôt il revint seul. Il me dit
que le cheval n'avait rien, mais que mon guide le
trouvait un animal si précieux, qu'il le frottait avec
sa veste pour le faire transpirer, et qu'il comptait
passer la nuit dans cette douce occupation. Cependant je m'étais étendu sur les couvertures de mulets,
soigneusement enveloppé dans mon manteau, pour
ne pas les toucher. Après m'avoir demandé pardon
de la liberté qu'il prenait de se mettre auprès de moi,
don José se coucha devant la porte, non sans avoir
renouvelé l'amorce de son espingole, qu'il eut soin
de placer sous la besace qui lui servait d'oreiller.

Cinq minutes après nous être mutuellement souhaité
le bonsoir, nous étions l'un et l'autre profondément
endormis.

Je me croyais assez fatigué pour pouvoir dormir
dans un pareil gîte, mais, au bout d'une heure, de
très désagréables démangeaisons m'arrachèrent à
mon premier somme. Dès que j'en eus compris la
nature, je me levai, persuadé qu'il valait mieux passer
le reste de la nuit à la belle étoile que sous ce toit
inhospitalier. Marchant sur la pointe du pied, je
gagnai la porte, j'enjambai par-dessus la couche de
don José, qui dormait du sommeil du juste, et je fis
si bien que je sortis de la maison sans qu'il s'éveillât.
Auprès de la porte était un large banc de bois ; je
m'étendis dessus, et m'arrangeai de mon mieux pour
achever ma nuit. J'allais fermer les yeux pour la
seconde fois, quand il me sembla voir passer devant
moi l'ombre d'un homme et l'ombre d'un cheval,
marchant l'un et l'autre sans faire le moindre bruit.
Je me mis sur mon séant, et je crus reconnaître
Antonio. Surpris de le voir hors de l'écurie à pareille
heure, je me levai et marchai à sa rencontre. Il s'était
arrêté, m'ayant aperçu d'abord.

– Où est-il ? me demanda Antonio à voix basse.

– Dans la venta ; il dort ; il n'a pas peur des
punaises. Pourquoi donc emmenez-vous ce cheval ?

Je remarquai alors que, pour ne pas faire de bruit
en sortant du hangar, Antonio avait soigneusement
enveloppé les pieds de l'animal avec les débris d'une
vieille couverture.

– Parlez plus bas, me dit Antonio, au nom de

Dieu ! Vous ne savez pas qui est cet homme-là. C'est
José Navarro, le plus insigne bandit de l'Andalousie.
Toute la journée je vous ai fait des signes que vous
n'avez pas voulu comprendre.

— Bandit ou non, que m'importe ? répondis-je ; il
ne nous a pas volés, et je parierais qu'il n'en a pas
envie.

— A la bonne heure ; mais il y a deux cents ducats
pour qui le livrera. Je sais un poste de lanciers à une
lieue et demie d'ici, et avant qu'il soit jour, j'amènerai
quelques gaillards solides. J'aurais pris son cheval,
mais il est si méchant que nul que le Navarro ne peut
en approcher.

— Que le diable vous emporte ! lui dis-je. Quel mal
vous a fait ce pauvre homme pour le dénoncer ?
D'ailleurs, êtes-vous sûr qu'il soit le brigand que vous
dites ?

— Parfaitement sûr ; tout à l'heure, il m'a suivi dans
l'écurie et m'a dit : « Tu as l'air de me connaître,
si tu dis à ce bon monsieur qui je suis, je te fais sauter
la cervelle. » Restez, monsieur, restez auprès de lui ;
vous n'avez rien à craindre. Tant qu'il vous saura
là, il ne se méfiera de rien.

Tout en parlant, nous nous étions déjà assez
éloignés de la venta pour qu'on ne pût entendre les
fers du cheval. Antonio l'avait débarrassé en un clin
d'œil des guenilles dont il lui avait enveloppé les
pieds ; il se préparait à enfourcher sa monture.
J'essayai prières et menaces pour le retenir.

— Je suis un pauvre diable, monsieur, me disait-il ;
deux cents ducats ne sont pas à perdre, surtout

quand il s'agit de délivrer le pays de pareille vermine. Mais prenez garde ; si le Navarro se réveille, il sautera sur son espingole, et gare à vous ! Moi je suis trop avancé pour reculer ; arrangez-vous comme vous pourrez.

Le drôle était en selle ; il piqua des deux, et dans l'obscurité je l'eus bientôt perdu de vue.

J'étais fort irrité contre mon guide et passablement inquiet. Après un instant de réflexion, je me décidai et rentrai dans la venta. Don José dormait encore, réparant sans doute en ce moment les fatigues et les veilles de plusieurs journées aventureuses. Je fus obligé de le secouer rudement pour l'éveiller. Jamais je n'oublierai son regard farouche et le mouvement qu'il fit pour saisir son espingole, que, par mesure de précaution, j'avais mise à quelque distance de sa couche.

— Monsieur, lui dis-je, je vous demande pardon de vous éveiller ; mais j'ai une sotte question à vous faire ; seriez-vous bien aise de voir arriver ici une demi-douzaine de lanciers ?

Il sauta en pieds, et d'une voix terrible :

— Qui vous l'a dit ? me demanda-t-il.

— Peu importe d'où vient l'avis, pourvu qu'il soit bon.

— Votre guide m'a trahi, mais il me le paiera. Où est-il ?

— Je ne sais... Dans l'écurie, je pense... mais quelqu'un m'a dit...

— Qui vous a dit ?... Ce ne peut être la vieille...

— Quelqu'un que je ne connais pas... Sans plus de

paroles, avez-vous, oui ou non, des motifs pour ne pas attendre les soldats ? Si vous en avez, ne perdez pas de temps, sinon bonsoir, et je vous demande pardon d'avoir interrompu votre sommeil.

— Ah ! votre guide ! votre guide ! Je m'en étais méfié d'abord... mais... son compte est bon !... Adieu, monsieur. Dieu vous rende le service que je vous dois. Je ne suis pas tout à fait aussi mauvais que vous me croyez... oui, il y a encore en moi quelque chose qui mérite la pitié d'un galant homme... Adieu, monsieur... Je n'ai qu'un regret, c'est de ne pouvoir m'acquitter envers vous.

– Pour prix du service que je vous ai rendu, promettez-moi, don José, de ne soupçonner personne, de ne pas songer à la vengeance. Tenez, voilà des cigares pour votre route ; bon voyage !

Et je lui tendis la main.

Il me la serra sans répondre, prit son espingole et sa besace, et, après avoir dit quelques mots à la vieille dans un argot que je ne pus comprendre, il courut au hangar. Quelques instants après, je l'entendais galoper dans la campagne.

Pour moi, je me recouchai sur mon banc, mais je ne me rendormis point. Je me demandais si j'avais eu raison de sauver de la potence un voleur, et peut-être un meurtrier, et cela seulement parce que j'avais mangé du jambon avec lui et du riz à la valencienne. N'avais-je pas trahi mon guide qui soutenait la cause des lois ; ne l'avais-je pas exposé à la vengeance d'un scélérat ? Mais les devoirs de l'hospitalité !... Préjugé de sauvage, me disais-je ;

j'aurai à répondre de tous les crimes que le bandit va commettre... Pourtant est-ce un préjugé que cet instinct de conscience qui résiste à tous les raisonnements ? Peut-être, dans la situation délicate où je me trouvais, ne pouvais-je m'en tirer sans remords. Je flottais encore dans la plus grande incertitude au sujet de la moralité de mon action, lorsque je vis paraître une demi-douzaine de cavaliers avec Antonio, qui se tenait prudemment à l'arrière-garde. J'allai au-devant d'eux, et les prévins que le bandit avait pris la fuite depuis plus de deux heures. La vieille, interrogée par le brigadier, répondit qu'elle connaissait le Navarro, mais que, vivant seule, elle n'aurait jamais osé risquer sa vie en le dénonçant. Elle ajouta que son habitude, lorsqu'il venait chez elle, était de partir toujours au milieu de la nuit. Pour moi, il me fallut aller, à quelques lieues de là, exhiber mon passeport et signer une déclaration devant un alcade, après quoi on me permit de reprendre mes recherches archéologiques. Antonio me gardait rancune, soupçonnant que c'était moi qui l'avais empêché de gagner les deux cents ducats. Pourtant nous nous séparâmes bons amis à Cordoue ; là, je lui donnai une gratification aussi forte que l'état de mes finances pouvait me le permettre.

. . . .

II

Je passai quelques jours à Cordoue. On m'avait indiqué certain manuscrit de la bibliothèque des Dominicains, où je devais trouver des renseignements intéressants sur l'antique Munda. Fort bien accueilli par les bons Pères, je passais les journées dans leur couvent, et le soir je me promenais par la ville. A Cordoue, vers le coucher du soleil, il y a quantité d'oisifs sur le quai qui borde la rive droite du Guadalquivir. Là, on respire les émanations d'une tannerie qui conserve encore l'antique renommée du pays pour la préparation des cuirs ; mais, en revanche, on y jouit d'un spectacle qui a bien son mérite. Quelques minutes avant l'*angélus,* un grand nombre de femmes se rassemblent sur le bord du fleuve, au bas du quai, lequel est assez élevé. Pas un homme n'oserait se mêler à cette troupe. Aussitôt que l'*angélus* sonne, il est censé qu'il fait nuit. Au dernier coup de cloche, toutes ces femmes se déshabillent et entrent dans l'eau. Alors ce sont des cris, des rires, un tapage infernal. Du haut du quai, les hommes contemplent les baigneuses, écarquillent

"Quelques minutes avant l'angelus, les femmes se rassemblent sur le bord du fleuve..."

les yeux, et ne voient pas grand-chose. Cependant ces formes blanches et incertaines qui se dessinent sur le sombre azur du fleuve, font travailler les esprits poétiques, et, avec un peu d'imagination, il n'est pas difficile de se représenter Diane et ses nymphes au bain, sans avoir à craindre le sort d'Actéon. – On m'a dit que quelques mauvais garnements se cotisèrent certain jour, pour graisser la patte au sonneur de la cathédrale et lui faire sonner l'*angélus* vingt minutes avant l'heure légale. Bien qu'il fît encore grand jour, les nymphes du Guadalquivir n'hésitèrent pas, et se fiant plus à l'*angélus* qu'au soleil elles firent en sûreté de conscience leur toilette de bain qui est toujours des plus simples. Je n'y étais pas. De mon temps le sonneur était incorruptible, le crépuscule peu clair et un chat seulement aurait pu distinguer la plus vieille marchande d'oranges de la plus jolie grisette de Cordoue.

Un soir, à l'heure où l'on ne voit plus rien, je fumais appuyé sur le parapet du quai, lorsqu'une femme, remontant l'escalier qui conduit à la rivière, vint s'asseoir près de moi. Elle avait dans les cheveux un gros bouquet de jasmin, dont les pétales exhalent le soir une odeur enivrante. Elle était simplement, peut-être pauvrement vêtue, tout en noir, comme la plupart des grisettes dans la soirée. Les femmes comme il faut ne portent le noir que le matin ; le soir, elles s'habillent *à la francesa*. En arrivant auprès de moi, ma baigneuse laissa glisser sur ses épaules la mantille qui lui couvrait la tête, et, *à l'obscure clarté qui tombe des étoiles*, je vis qu'elle était petite, jeune, bien faite, et qu'elle avait de très grands yeux. Je jetai mon cigare aussitôt. Elle comprit cette attention d'une politesse toute française, et se hâta de me dire qu'elle aimait beaucoup l'odeur du tabac, et que même elle fumait, quand elle trouvait des *papelitos* bien doux. Par bonheur, j'en avais de tels dans mon étui, et je m'empressai de lui en offrir. Elle daigna en prendre un, et l'alluma à un bout de corde enflammée qu'un enfant nous apporta moyennant un sou. Mêlant nos fumées, nous causâmes si long-temps, la belle baigneuse et moi, que nous nous trouvâmes presque seuls sur le quai. Je crus n'être point indiscret en lui offrant d'aller prendre des glaces à la *neveria* [1]. Après une hésitation modeste elle accepta ; mais avant de se décider, elle désira savoir quelle heure il était. Je fis sonner ma montre, et cette sonnerie parut l'étonner beaucoup.

– Quelles inventions on a chez vous, messieurs les étrangers ! De quel pays êtes-vous, monsieur ? Anglais sans doute [2] ?

– Français et votre grand serviteur. Et vous, mademoiselle, ou madame, vous êtes probablement de Cordoue ?

– Non.

– Vous êtes du moins Andalouse. Il me semble le reconnaître à votre doux parler.

1. Café pourvu d'une glacière, ou plutôt d'un dépôt de neige. En Espagne, il n'y a guère de village qui n'ait sa *neveria*.
2. En Espagne, tout voyageur qui ne porte pas avec lui des échantillons de calicot ou de soieries passe pour un Anglais, *Inglesito*. Il en est de même en Orient. A Chalcis, j'ai eu l'honneur d'être annoncé comme un Μιλόπδος Φπαντσέσος.

– Si vous remarquez si bien l'accent du monde, vous devez bien deviner qui je suis.

– Je crois que vous êtes du pays de Jésus, à deux pas du paradis.

(J'avais appris cette métaphore, qui désigne l'Andalousie, de mon ami Francisco Sevilla, picador bien connu.)

– Bah ! le paradis... les gens d'ici disent qu'il n'est pas fait pour nous.

– Alors, vous seriez donc Mauresque, ou... je m'arrêtai, n'osant dire : Juive.

– Allons, allons ! vous voyez bien que je suis bohémienne ; voulez-vous que je vous dise *la baji* [1]. Avez-vous entendu parler de la Carmencita ? C'est moi.

J'étais alors un tel mécréant, il y a de cela quinze ans, que je ne reculai pas d'horreur en me voyant à côté d'une sorcière. « Bon ! me dis-je ; la semaine passée, j'ai soupé avec un voleur de grand chemin, allons aujourd'hui prendre des glaces avec une servante du diable. En voyage il faut tout voir. » J'avais encore un autre motif pour cultiver sa connaissance. Sortant du collège, je l'avouerai à ma honte, j'avais perdu quelque temps à étudier les sciences occultes et même plusieurs fois j'avais tenté de conjurer l'esprit de ténèbres. Guéri depuis longtemps de la passion de semblables recherches, je n'en conservais pas moins un certain attrait de curiosité pour toutes les superstitions, et me faisais une fête d'apprendre jusqu'où s'était élevé l'art de la magie parmi les bohémiens.

1. La bonne aventure.

Tout en causant, nous étions entrés dans la *neveria*, et nous nous étions assis à une petite table éclairée par une bougie enfermée dans un globe de verre. J'eus alors tout le loisir d'examiner ma *gitana*, pendant que quelques honnêtes gens s'ébahissaient, en prenant leurs glaces, de me voir en si bonne compagnie.

Je doute fort que mademoiselle Carmen fût de race pure, du moins elle était infiniment plus jolie que toutes les femmes de sa nation que j'aie jamais rencontrées. Pour qu'une femme soit belle, disent les Espagnols, il faut qu'elle réunisse trente *si*, ou, si l'on veut, qu'on puisse la définir au moyen de dix adjectifs applicables chacun à trois parties de sa personne. Par exemple, elle doit avoir trois choses noires : les yeux, les paupières et les sourcils ; trois fines, les doigts, les lèvres, les cheveux, etc. Voyez Brantôme pour le reste. Ma bohémienne ne pouvait prétendre à tant de perfection. Sa peau, d'ailleurs parfaitement unie, approchait fort de la teinte du cuivre. Ses yeux étaient obliques, mais admirablement fendus ; ses lèvres un peu fortes, mais bien dessinées et laissant voir des dents plus blanches que des amandes sans leur peau. Ses cheveux, peut-être un peu gros, étaient noirs, à reflets bleus comme l'aile d'un corbeau, longs et luisants. Pour ne pas vous fatiguer d'une description trop prolixe, je vous dirai en somme qu'à chaque défaut elle réunissait une qualité qui ressortait peut-être plus fortement par le contraste. C'était une beauté étrange et sauvage, une figure qui étonnait d'abord, mais qu'on ne pouvait oublier. Ses yeux surtout avaient une

expression à la fois voluptueuse et farouche que je
n'ai trouvée depuis à aucun regard humain. Œil de
bohémien, œil de loup, c'est un dicton espagnol qui
dénote une bonne observation. Si vous n'avez pas
le temps d'aller au jardin des Plantes pour étudier
le regard d'un loup, considérez votre chat quand il
guette un moineau.

On sent qu'il eût été ridicule de se faire tirer la
bonne aventure dans un café. Aussi je priai la jolie
sorcière de me permettre de l'accompagner à son
domicile ; elle y consentit sans difficulté, mais elle
voulut connaître encore la marche du temps, et me
pria de nouveau de faire sonner ma montre.

– Est-elle vraiment d'or ? dit-elle en la considérant
avec une excessive attention.

Quand nous nous remîmes en marche, il était nuit
close ; la plupart des boutiques étaient fermées et
les rues presque désertes. Nous passâmes le pont du
Guadalquivir, et à l'extrémité du faubourg, nous
nous arrêtâmes devant une maison qui n'avait
nullement l'apparence d'un palais. Un enfant nous
ouvrit. La bohémienne lui dit quelques mots dans
une langue à moi inconnue, que je sus depuis être
la *rommani* ou *chipe calli,* l'idiome des gitanos. Aussitôt
l'enfant disparut, nous laissant dans une chambre
assez vaste, meublée d'une petite table, de deux
tabourets et d'un coffre. Je ne dois point oublier une
jarre d'eau, un tas d'oranges et une botte d'oignons.

Dès que nous fûmes seuls, la bohémienne tira de
son coffre des cartes qui paraissaient avoir beaucoup
servi, un aimant, un caméléon desséché, et quelques
autres objets nécessaires à son art. Puis elle me dit

de faire la croix dans ma main gauche avec une pièce
de monnaie, et les cérémonies magiques commencèrent. Il est inutile de vous rapporter ses prédictions,
et, quant à sa manière d'opérer, il était évident
qu'elle n'était pas sorcière à demi.

Malheureusement nous fûmes bientôt dérangés.
La porte s'ouvrit tout à coup avec violence, et un
homme enveloppé jusqu'aux yeux dans un manteau
brun, entra dans la chambre en apostrophant la
bohémienne d'une façon peu gracieuse. Je n'entendais pas ce qu'il disait, mais le ton de sa voix indiquait
qu'il était de fort mauvaise humeur. A sa vue, la
gitane ne montra ni surprise ni colère, mais elle
accourut à sa rencontre et, avec une volubilité
extraordinaire lui adressa quelques phrases dans la
langue mystérieuse dont elle s'était déjà servie
devant moi. Le mot *payllo,* souvent répété, était le
seul mot que je comprisse. Je savais que les
bohémiens désignent ainsi tout homme étranger à
leur race. Supposant qu'il s'agissait de moi, je
m'attendais à une explication délicate ; déjà j'avais
la main sur le pied d'un des tabourets, et je syllogisais
à part moi pour deviner le moment précis où il
conviendrait de le jeter à la tête de l'intrus. Celui-ci
repoussa rudement la bohémienne, et s'avança vers
moi ; puis reculant d'un pas :

— Ah ! monsieur, dit-il, c'est vous !

Je le regardai à mon tour, et reconnus mon ami
don José. En ce moment, je regrettais un peu de ne
pas l'avoir laissé pendre.

— Eh ! c'est vous, mon brave, m'écriai-je en riant

le moins jaune que je pus ; vous avez interrompu
mademoiselle au moment où elle m'annonçait des
choses bien intéressantes.

– Toujours la même ! Ça finira, dit-il, entre ses
dents, attachant sur elle un regard farouche.

Cependant la bohémienne continuait à lui parler
dans sa langue. Elle s'animait par degrés. Son œil
s'injectait de sang et devenait terrible, ses traits se
contractaient, elle frappait du pied. Il me sembla
qu'elle le pressait vivement de faire quelque chose
à quoi il montrait de l'hésitation. Ce que c'était, je
croyais ne le comprendre que trop à la voir passer
et repasser rapidement sa petite main sous son
menton. J'étais tenté de croire qu'il s'agissait d'une
gorge à couper, et j'avais quelques soupçons que
cette gorge ne fût la mienne.

A tout ce torrent d'éloquence, don José ne
répondit que par deux ou trois mots prononcés d'un
ton bref. Alors la bohémienne lui lança un regard
de profond mépris ; puis s'asseyant à la turque dans
un coin de la chambre, elle choisit une orange, la
pela et se mit à la manger.

Don José me prit le bras, ouvrit la porte et me
conduisit dans la rue. Nous fîmes environ deux cents
pas dans le plus profond silence. Puis, étendant la
main :

– Toujours tout droit, dit-il, et vous trouverez le
pont.

Aussitôt il me tourna le dos et s'éloigna rapidement. Je revins à mon auberge un peu penaud et
d'assez mauvaise humeur. Le pire fut qu'en me

déshabillant, je m'aperçus que ma montre me manquait.

Diverses considérations m'empêchèrent d'aller la réclamer le lendemain ou de solliciter M. le corrégidor pour qu'il voulût bien la faire chercher. Je terminai mon travail sur le manuscrit des Dominicains et je partis pour Séville. Après plusieurs mois de courses errantes en Andalousie, je voulus retourner à Madrid, et il me fallut repasser par Cordoue. Je n'avais pas l'intention d'y faire un long séjour, car j'avais pris en grippe cette belle ville et les baigneuses du Guadalquivir. Cependant quelques amis à revoir, quelques commissions à faire devaient me retenir au moins trois ou quatre jours dans l'antique capitale des princes musulmans.

Dès que je reparus au couvent des Dominicains, un des pères qui m'avait toujours montré un vif intérêt dans mes recherches sur l'emplacement de Munda, m'accueillit les bras ouverts en s'écriant :

— Loué soit le nom de Dieu ! Soyez le bienvenu, mon cher ami. Nous vous croyions tous mort, et moi, qui vous parle, j'ai récité bien des *pater* et des *ave,* que je ne regrette pas, pour le salut de votre âme. Ainsi vous n'êtes pas assassiné, car pour volé nous savons que vous l'êtes ?

— Comment cela ? lui demandai-je un peu surpris.

— Oui, vous savez bien, cette belle montre à répétition que vous faisiez sonner dans la bibliothèque, quand nous vous disions qu'il était temps d'aller au chœur. Eh bien ! elle est retrouvée, on vous la rendra.

– C'est-à-dire, interrompis-je, un peu déconte-
nancé, que je l'avais égarée...

– Le coquin est sous les verrous, et, comme on
savait qu'il était homme à tirer un coup de fusil à
un chrétien pour lui prendre une piécette, nous
mourions de peur qu'il ne vous eût tué. J'irai avec
vous chez le corrégidor, et nous vous ferons rendre
votre belle montre. Et puis, avisez-vous de dire là-bas
que la justice ne sait pas son métier en Espagne !

– Je vous avoue, lui dis-je, que j'aimerais mieux
perdre ma montre que de témoigner en justice pour
faire pendre un pauvre diable, surtout parce que...
parce que...

– Oh ! n'ayez aucune inquiétude ; il est bien
recommandé, et on ne peut le pendre deux fois.
Quand je dis pendre, je me trompe. C'est un hidalgo
que votre voleur ; il sera donc *garrotté* après-demain
sans rémission [1]. Vous voyez qu'un vol de plus ou
de moins ne changera rien à son affaire. Plût à Dieu
qu'il n'eût que volé ! mais il a commis plusieurs
meurtres, tous plus horribles les uns que les autres.

– Comment se nomme-t-il ?

– On le connaît dans le pays sous le nom de José
Navarro, mais il a encore un autre nom basque que
ni vous ni moi ne prononcerons jamais. Tenez, c'est
un homme à voir, et vous qui aimez à connaître les
singularités du pays, vous ne devez pas négliger
d'apprendre comment en Espagne les coquins

---

1. En 1830, la noblesse jouissait encore de ce privilège.
Aujourd'hui, sous le régime constitutionnel, les vilains ont
conquis le droit au *garrote*.

sortent de ce monde. Il est en chapelle, et le père Martinez vous y conduira.

Mon dominicain insista tellement pour que je visse les apprêts du « *petit pendement bien choli* », que je ne pus m'en défendre. J'allai voir le prisonnier, muni d'un paquet de cigares qui, je l'espérais, devaient lui faire excuser mon indiscrétion.

On m'introduisit auprès de don José, au moment où il prenait son repas. Il me fit un signe de tête assez froid, et me remercia poliment du cadeau que je lui apportais. Après avoir compté les cigares du paquet que j'avais mis entre ses mains, il en choisit un certain nombre, et me rendit le reste, observant qu'il n'avait pas besoin d'en prendre davantage.

Je lui demandai si, avec un peu d'argent, ou par le crédit de mes amis, je pourrais obtenir quelque adoucissement à son sort. D'abord il haussa les épaules en souriant avec tristesse ; bientôt, se ravisant, il me pria de faire dire une messe pour le salut de son âme.

— Voudriez-vous, ajouta-t-il timidement, voudriez-vous en faire dire une autre pour une personne qui vous a offensé ?

— Assurément, mon cher, lui dis-je ; mais personne, que je sache, ne m'a offensé en ce pays.

Il me prit la main et la serra d'un air grave. Après un moment de silence, il reprit :

— Oserai-je encore vous demander un service ?... Quand vous reviendrez dans votre pays, peut-être passerez-vous par la Navarre, au moins vous passerez par Vittoria qui n'en est pas fort éloignée.

– Oui, lui dis-je, je passerai certainement par Vittoria ; mais il n'est pas impossible que je me détourne pour aller à Pampelune, et, à cause de vous, je crois que je ferai volontiers ce détour.

– Et bien ! si vous allez à Pampelune, vous y verrez plus d'une chose qui vous intéressera... C'est une belle ville... Je vous donnerai cette médaille (il me montrait une petite médaille d'argent qu'il portait au cou), vous l'envelopperez dans du papier... il s'arrêta un instant pour maîtriser son émotion... et vous la remettrez ou vous la ferez remettre à une bonne femme dont je vous dirai l'adresse. – Vous direz que je suis mort, vous ne direz pas comment.

Je promis d'exécuter sa commission. Je le revis le lendemain, et je passai une partie de la journée avec lui. C'est de sa bouche que j'ai appris les tristes aventures qu'on va lire.

III

Je suis né, dit-il, à Elizondo, dans la vallée de Baztan. Je m'appelle don José Lizarrabengoa, et vous connaissez assez l'Espagne, monsieur, pour que mon nom vous dise aussitôt que je suis Basque et vieux chrétien. Si je prends le *don*, c'est que j'en ai le droit, et si j'étais à Elizondo, je vous montrerais ma généalogie sur un parchemin. On voulait que je fusse d'Église, et l'on me fit étudier, mais je ne profitais guère. J'aimais trop à jouer à la paume, c'est ce qui m'a perdu. Quand nous jouons à la paume, nous autres Navarrais, nous oublions tout. Un jour que j'avais gagné, un gars de l'Alava me chercha querelle ; nous prîmes nos *maquilas* [1], et j'eus encore l'avantage ; mais cela m'obligea de quitter le pays. Je rencontrai des dragons, et je m'engageai dans le régiment d'Almanza, cavalerie. Les gens de nos montagnes apprennent vite le métier militaire. Je devins bientôt brigadier, et on me promettait de me faire maréchal des logis, quand, pour mon malheur, on me mit de garde à la manufacture de tabacs à

1. Bâtons ferrés des Basques.

Séville. Si vous êtes allé à Séville, vous aurez vu ce grand bâtiment-là, hors des remparts, près du Guadalquivir. Il me semble en voir encore la porte et le corps de garde auprès. Quand ils sont de service, les Espagnols jouent aux cartes, ou dorment ; moi, comme un franc Navarrais, je tâchais toujours de m'occuper. Je faisais une chaîne avec du fil de laiton, pour tenir mon épinglette. Tout d'un coup les camarades disent : Voilà la cloche qui sonne ; les filles vont rentrer à l'ouvrage. Vous saurez, monsieur, qu'il y a bien quatre à cinq cents femmes occupées dans la manufacture. Ce sont elles qui roulent les cigares dans une grande salle, où les hommes n'entrent pas sans une permission du *Vingt-quatre*[1], parce qu'elles se mettent à leur aise, les jeunes surtout, quand il fait chaud. A l'heure où les ouvrières rentrent, après leur dîner, bien des jeunes gens vont les voir passer, et leur en content de toutes les couleurs. Il y a peu de demoiselles qui refusent une mantille de taffetas, et les amateurs, à cette pêche-là, n'ont qu'à se baisser pour prendre le poisson. Pendant que les autres regardaient, moi, je restais sur mon banc, près de la porte. J'étais jeune alors ; je pensais toujours au pays, et je ne croyais pas qu'il y eût de jolies filles sans jupes bleues et sans nattes tombant sur les épaules[2]. D'ailleurs, les Andalouses me faisaient peur ; je n'étais pas encore

1. Magistrat chargé de la police et de l'administration municipale.
2. Costume ordinaire des paysannes de la Navarre et des provinces basques.

fait à leurs manières : toujours à railler, jamais un mot de raison. J'étais donc le nez sur ma chaîne, quand j'entends des bourgeois qui disaient : Voilà la gitanilla ! Je levai les yeux, et je la vis. C'était un vendredi, et je ne l'oublierai jamais. Je vis cette Carmen que vous connaîssez, chez qui je vous ai rencontré il y a quelques mois.

Elle avait un jupon rouge fort court qui laissait voir des bas de soie blancs avec plus d'un trou, et des souliers mignons de maroquin rouge attachés avec des rubans couleur de feu. Elle écartait sa mantille afin de montrer ses épaules et un gros bouquet de cassie qui sortait de sa chemise. Elle avait encore une fleur de cassie dans le coin de la bouche, et elle s'avançait en se balançant sur ses hanches comme une pouliche du haras de Cordoue. Dans mon pays, une femme en ce costume aurait obligé le monde à se signer. A Séville, chacun lui adressait quelque compliment gaillard sur sa tournure ; elle répondait à chacun, faisant les yeux en coulisse, le poing sur la hanche, effrontée comme une vraie bohémienne qu'elle était. D'abord elle ne me plut pas, et je repris mon ouvrage ; mais elle, suivant l'usage des femmes et des chats qui ne viennent pas quand on les appelle et qui viennent quand on ne les appelle pas, s'arrêta devant moi et m'adressa la parole :

– Compère, me dit-elle à la façon andalouse, veux-tu me donner ta chaîne pour tenir les clefs de mon coffre-fort ?

– C'est pour attacher mon épinglette, lui répondis-je.

– Ton épinglette ! s'écria-t-elle en riant. Ah ! monsieur fait de la dentelle, puisqu'il a besoin d'épingles !

Tout le monde qui était là se mit à rire, et moi je me sentais rougir, et je ne pouvais trouver rien à lui répondre.

– Allons, mon cœur, reprit-elle, fais-moi sept aunes de dentelle noire pour une mantille, épinglier de mon âme !

Et prenant la fleur de cassie qu'elle avait à la bouche, elle me la lança, d'un mouvement du pouce, juste entre les deux yeux. Monsieur, cela me fit l'effet d'une balle qui m'arrivait... Je ne savais où me fourrer, je demeurais immobile comme une planche. Quand elle fut entrée dans la manufacture, je vis la fleur de cassie qui était tombée à terre entre mes pieds ; je ne sais ce qui me prit, mais je la ramassai sans que mes camarades s'en aperçussent et je la mis précieusement dans ma veste. Première sottise !

Deux ou trois heures après, j'y pensais encore, quand arrive dans le corps de garde un portier tout haletant, la figure renversée. Il nous dit que dans la grande salle des cigares, il y avait une femme assassinée, et qu'il fallait y envoyer la garde. Le maréchal me dit de prendre deux hommes et d'y aller voir. Je prends mes hommes et je monte. Figurez-vous, monsieur, qu'entré dans la salle je trouve d'abord trois cents femmes en chemise, ou peu s'en faut, toutes criant, hurlant, gesticulant, faisant un vacarme à ne pas entendre Dieu tonner. D'un côté, il y en avait une, les quatre fers en l'air, couverte

de sang, avec un X sur la figure qu'on venait de lui
marquer en deux coups de couteau. En face de la
blessée, que secouraient les meilleures de la bande,
je vois Carmen tenue par cinq ou six commères. La
femme blessée criait : Confession ! confession ! je
suis morte ! Carmen ne disait rien ; elle serrait les
dents, et roulait des yeux comme un caméléon.
« Qu'est-ce que c'est ? » demandai-je. J'eus grand-
peine à savoir ce qui s'était passé, car toutes les
ouvrières me parlaient à la fois. Il paraît que la femme
blessée s'était vantée d'avoir assez d'argent en poche
pour acheter un âne au marché de Triana. « Tiens,
dit Carmen, qui avait une langue, tu n'as donc pas
assez d'un balai ? » L'autre, blessée du reproche,
peut-être parce qu'elle se sentait véreuse sur l'article,
lui répond qu'elle ne se connaissait pas en balais,
n'ayant pas l'honneur d'être bohémienne ni filleule
de Satan, mais que mademoiselle Carmencita ferait
bientôt connaissance avec son âne, quand M. le
corrégidor la mènerait à la promenade avec deux
laquais par-derrière pour l'émoucher. « Eh bien,
moi, dit Carmen, je te ferai des abreuvoirs à mouches
sur la joue, et je veux y peindre un damier [1]. » Là
dessus, vli vlan ! elle commence, avec le couteau dont
elle coupait le bout des cigares, à lui dessiner des
croix de Saint-André sur la figure.

Le cas était clair : je pris Carmen par le bras : – Ma
sœur, lui dis-je poliment, il faut me suivre. Elle me

---

1. *Pintar un javeque*, peindre un chebec. Les chebecs espagnols
ont, pour la plupart, leur bande peinte à carreaux rouges et
blancs.

lança un regard comme si elle me reconnaissait ; mais
elle dit d'un air résigné : – Marchons. Où est ma
mantille ? Elle la mit sur sa tête de façon à ne montrer
qu'un seul de ses grands yeux, et suivit mes deux
hommes, douce comme un mouton. Arrivés au corps
de garde, le maréchal des logis dit que c'était grave,
et qu'il fallait la mener à la prison. C'était encore
moi qui devais la conduire. Je la mis entre deux
dragons, et je marchais derrière comme un brigadier
doit faire en semblable rencontre. Nous nous mîmes
en route pour la ville. D'abord la bohémienne avait
gardé le silence ; mais dans la rue du Serpent, – vous
la connaissez, elle mérite bien son nom par les
détours qu'elle fait, – dans la rue du Serpent, elle
commence par laisser tomber sa mantille sur ses
épaules, afin de me montrer son minois enjôleur, et,
se tournant vers moi autant qu'elle pouvait, elle me
dit :

– Mon officier, où me menez-vous ?

– A la prison, ma pauvre enfant, lui répondis-je
le plus doucement que je pus, comme un bon soldat
doit parler à un prisonnier, surtout à une femme.

– Hélas ! que deviendrai-je ? Seigneur officier,
ayez pitié de moi. Vous êtes si jeune, si gentil... Puis,
d'un ton plus bas : Laissez moi m'échapper, dit-elle,
je vous donnerai un morceau de la *bar lachi*, qui vous
fera aimer de toutes les femmes.

La *bar lachi*, monsieur, c'est la pierre d'aimant, avec
laquelle les bohémiens prétendent qu'on fait quantité de sortilèges quand on sait s'en servir. Faites-en
boire à une femme une pincée râpée dans un verre

de vin blanc, elle ne résiste plus. Moi, je lui répondis le plus sérieusement que je pus :

— Nous ne sommes pas ici pour dire des baliver-
nes ; il faut aller à la prison, c'est la consigne, et il n'y a pas de remède.

Nous autres gens du pays basque, nous avons un accent qui nous fait reconnaître facilement des Espagnols ; en revanche il n'y en a pas un qui puisse seulement apprendre à dire *baï, jaona* [1]. Carmen donc n'eut pas de peine à deviner que je venais des provinces. Vous saurez que les bohémiens, monsieur, comme n'étant d'aucun pays, voyageant toujours, parlent toutes les langues, et la plupart sont chez eux en Portugal, en France, dans les provinces, en Catalogne, partout ; même avec les Maures et les Anglais, ils se font entendre. Carmen savait assez bien le basque.

— *Laguna, ene bihotsarena*, camarade de mon cœur, me dit-elle tout à coup, êtes-vous du pays ?

Notre langue, monsieur, est si belle, que, lorsque nous l'entendons en pays étranger, cela nous fait tressaillir... — Je voudrais avoir un confesseur des provinces, ajouta plus bas le bandit. Il reprit après un silence :

— Je suis d'Elizondo, lui répondis-je en basque, fort ému de l'entendre parler ma langue.

— Moi, je suir d'Etchalar, dit-elle. (C'est un pays à quatre heures de chez nous). J'ai été emmenée par des bohémiens à Séville. Je travaillais à la manufac-

1. Oui, monsieur.

ture pour gagner de quoi retourner en Navarre, près
de ma pauvre mère qui n'a que moi pour soutien
et un petit *barralcea* [1] avec vingt pommiers à cidre.
Ah ! si j'étais au pays, devant la montagne blanche !
On m'a insultée parce que je ne suis pas de ce pays
de filous, marchands d'oranges pourries ; et ces
gueuses se sont mises toutes contre moi, parce que
je leur ai dit que tous leur *jaques* [2] de Séville, avec
leurs couteaux, ne feraient pas peur à un gars de chez
nous avec son béret bleu et son *maquila*. Camarade,
mon ami, ne ferez-vous rien pour une payse ?

Elle mentait, monsieur, elle a toujours menti. Je
ne sais pas si dans sa vie cette fille-là a jamais dit
un mot de vérité ; mais quand elle parlait, je la
croyais : c'était plus fort que moi. Elle estropiait le
basque, et je la crus Navarraise ; ses yeux seuls et
sa bouche et son teint la disaient bohémienne. J'étais
fou, je ne faisais plus attention à rien. Je pensais que,
si des Espagnols s'étaient avisés de mal parler du
pays, je leur aurais coupé la figure, tout comme elle
venait de faire à sa camarade. Bref, j'étais comme
un homme ivre ; je commençais à dire des bêtises,
j'étais tout près d'en faire.

– Si je vous poussais, et si vous tombiez, mon pays,
reprit-elle en basque, ce ne seraient pas ces deux
conscrits de Castillans qui me retiendraient...

Ma foi, j'oubliai la consigne et tout, et je lui dis :

– Eh bien, m'amie, ma payse, essayez, et que
Notre-Dame de la Montagne vous soit en aide !

En ce moment, nous passions devant une de ces

1. Enclos, jardin.
2. Braves, fanfarons.

ruelles étroites comme il y en a tant à Séville. Tout à coup Carmen se retourne et me lance un coup de poing dans la poitrine. Je me laissai tomber exprès à la renverse. D'un bond, elle saute par-dessus moi et se met à courir en nous montrant une paire de jambes !...

On dit jambes de Basque : les siennes en valaient bien d'autres... aussi vites que bien tournées. Moi, je me relève aussitôt ; mais je mets ma lance [1] en travers, de façon à barrer la rue, si bien que, de prime abord, les camarades furent arrêtés au moment de la poursuite. Puis je me mis moi-même à courir, et eux après moi ; mais l'atteindre ! Il n'y avait pas de risque, avec nos éperons, nos sabres et nos lances ! En moins de temps que je n'en mets à vous le dire la prisonnière avait disparu. D'ailleurs, toutes les commères du quartier favorisaient sa fuite, et se moquaient de nous, et nous indiquaient la fausse voie. Après plusieurs marches et contre-marches, il fallut nous en revenir au corps de garde sans un reçu du gouverneur de la prison.

Mes hommes, pour n'être pas punis, dirent que Carmen m'avait parlé basque ; et il ne paraissait pas trop naturel, pour dire la vérité, qu'un coup de poing d'une tant petite fille eût terrassé si facilement un gaillard de ma force. Tout cela parut louche ou plutôt clair. En descendant la garde, je fus dégradé et envoyé pour un mois à la prison. C'était ma première punition depuis que j'étais au service. Adieu les galons de maréchal des logis que je croyais déjà tenir !

1. Toute la cavalerie espagnole est armée de lances.

Mes premiers jours de prison se passèrent fort
tristement. En me faisant soldat, je m'étais figuré que
je deviendrais tout au moins officier. Longa, Mina,
mes compatriotes, sont bien capitaines généraux ;
Chapalangarra, qui est un négro comme Mina, et
réfugié comme lui dans votre pays, Chapalangarra
était colonel, et j'ai joué à la paume vingt fois avec
son frère, qui était un pauvre diable comme moi.
Maintenant je me disais : Tout le temps que tu as
servi sans punition, c'est du temps perdu ; Te voilà
mal noté : pour te remettre bien dans l'esprit des
chefs, il te faudra travailler dix fois plus que lorsque
tu es venu comme conscrit ! Et pourquoi me suis-je
fait punir ? Pour une coquine de bohémienne qui
s'est moquée de moi, et qui, dans ce moment, est
à voler dans quelque coin de la ville. Pourtant je ne
pouvais m'empêcher de penser à elle. Le croiriez-
vous, monsieur ? ses bas de soie troués qu'elle me
faisait voir tout en plein en s'enfuyant, je les avais
toujours devant les yeux. Je regardais par les
barreaux de la prison dans la rue, et, parmi toutes
les femmes qui passaient, je n'en voyais pas une seule
qui valût cette diable de fille-là. Et puis, malgré moi,
je sentais la fleur de cassie qu'elle m'avait jetée, et
qui, sèche, gardait toujours sa bonne odeur... S'il y
a des sorcières, cette fille-là en était une !

Un jour, le geôlier entre, et me donne un pain
d'Alcalá [1].

1. Alcalá de los Panaderos, bourg à deux lieues de Séville
où l'on fait des petits pains délicieux. On prétend que c'est
à l'eau d'Alcalá qu'ils doivent leur qualité et l'on en apporte
tous les jours une grande quantité à Séville.

– Tenez, dit-il voilà ce que votre cousine vous envoie.

Je pris le pain, fort étonné, car je n'avais pas de cousine à Séville. C'est peut-être une erreur, pensai-je en regardant le pain ; mais il était si appétissant, il sentait si bon, que sans m'inquiéter de savoir d'où il venait et à qui il était destiné, je résolus de le manger. En voulant le couper mon couteau rencontra quelque chose de dur. Je regarde, et je trouve une petite lime anglaise qu'on avait glissée dans la pâte avant que le pain fût cuit. Il y avait encore dans le pain une pièce d'or de deux piastres. Plus de doute alors, c'était un cadeau de Carmen. Pour les gens de sa race, la liberté est tout, et ils mettraient le feu à une ville pour s'épargner un jour de prison. D'ailleurs la commère était fine, et avec ce pain-là on se moquait des geôliers. En une heure, le plus gros barreau était scié avec la petite lime ; et avec la pièce de deux piastres, chez le premier fripier, je changeais ma capote d'uniforme pour un habit bourgeois. Vous pensez bien qu'un homme qui avait déniché maintes fois des aiglons dans nos rochers ne s'embarrassait guère de descendre dans la rue, d'une fenêtre haute de moins de trente pieds ; mais je ne voulais pas m'échapper. J'avais encore mon honneur de soldat, et déserter me semblait un grand crime. Seulement, je fus touché de cette marque de souvenir. Quand on est en prison, on aime à penser qu'on a dehors un ami qui s'intéresse à vous. La pièce d'or m'offusquait un peu, j'aurais bien voulu la rendre ; mais où trouver mon créancier ? Cela ne me semblait pas facile.

Après la cérémonie de la dégradation, je croyais n'avoir plus rien à souffrir ; mais il me restait encore une humiliation à dévorer : ce fut à ma sortie de prison, lorsqu'on me commanda de service et qu'on me mit en faction comme un simple soldat. Vous ne pouvez vous figurer ce qu'un homme de cœur éprouve en pareille occasion. Je crois que j'aurais aimé autant à être fusillé. Au moins on marche seul, en avant de son peloton ; on se sent quelque chose ; le monde vous regarde.

Je fus mis en faction, à la porte du colonel. C'était un jeune homme riche, bon enfant, qui aimait à s'amuser. Tous les jeunes officiers étaient chez lui, et force bourgeois, des femmes aussi, des actrices, à ce qu'on disait. Pour moi, il me semblait que toute la ville s'était donné rendez-vous à sa porte pour me regarder. Voilà qu'arrive la voiture du colonel avec son valet de chambre sur le siège. Qu'est-ce que je vois descendre ?... la gitanilla. Elle était parée, cette fois, comme une châsse, pomponnée, attifée, tout or et tout rubans. Une robe à paillettes, des souliers bleus à paillettes aussi, des fleurs et des galons partout. Elle avait un tambour de Basque à la main. Avec elle il y avait deux autres bohémiennes, une jeune et une vieille. Il y a toujours une vieille pour les mener ; puis un vieux avec une guitare, bohémien aussi, pour jouer et les faire danser. Vous savez qu'on s'amuse souvent à faire venir des bohémiennes dans les sociétés, afin de leur faire danser la *romalis*, c'est leur danse, et souvent bien autre chose.

Carmen me reconnut, et nous échangeâmes un

regard. Je ne sais, mais, en ce moment, j'aurais voulu être à cent pieds sous terre.

– *Agur laguna* [1], dit-elle. Mon officier, tu montes la garde comme un conscrit !

Et, avant que j'eusse trouvé un mot à répondre, elle était dans la maison.

Toute la société était dans le patio, et, malgré la foule, je voyais à peu près tout ce qui se passait, à travers la grille [2]. J'entendais les castagnettes, le tambour, les rires et les bravos ; parfois j'apercevais sa tête quand elle sautait avec son tambour. Puis j'entendais encore des officiers qui lui disaient bien des choses qui me faisaient monter le rouge à la figure. Ce qu'elle répondait, je n'en savais rien. C'est de ce jour-là, je pense, que je me mis à l'aimer pour tout de bon ; car l'idée me vint trois ou quatre fois d'entrer dans le patio, et de donner de mon sabre dans le ventre à tous ces freluquets qui lui contaient fleurettes. Mon supplice dura une bonne heure ; puis les bohémiens sortirent, et la voiture les ramena. Carmen, en passant, me regarda encore avec les yeux que vous savez, et me dit très bas :

– Pays, quand on aime la bonne friture, on en va manger à Triana, chez Lillas Pastia.

Légère comme un cabri, elle s'élança dans la

1. Bonjour camarade.
2. La plupart des maisons de Séville ont une cour intérieure entourée de portiques. On s'y tient en été. Cette cour est couverte d'une toile qu'on arrose pendant le jour et qu'on retire le soir. La porte de la rue est presque toujours ouverte, et le passage qui conduit à la cour, *zaguan,* est fermé par une grille en fer très élégamment ouvragée.

voiture, le cocher fouetta ses mules, et toute la bande joyeuse s'en alla je ne sais où.

Vous devinez bien qu'en descendant ma garde j'allai à Triana ; mais d'abord je me fis raser et je me brossai comme pour un jour de parade. Elle était chez Lillas Pastia, un vieux marchand de friture, bohémien, noir comme un Maure, chez qui beaucoup de bourgeois venaient manger du poisson frit, surtout, je crois, depuis que Carmen y avait pris ses quartiers.

— Lillas, dit-elle sitôt qu'elle me vit, je ne fais plus rien de la journée. Demain il fera jour [1] ! Allons pays, allons nous promener.

Elle mit sa mantille devant son nez, et nous voilà dans la rue, sans savoir où j'allais.

— Mademoiselle, lui dis-je, je crois que j'ai à vous remercier d'un présent que vous m'avez envoyé quand j'étais en prison. J'ai mangé le pain ; la lime me servira pour affiler ma lance, et je la garde comme souvenir de vous ; mais l'argent, le voilà.

— Tiens ! Il a gardé l'argent, s'écria-t-elle en éclatant de rire. Au reste tant mieux, car je ne suis guère en fonds ; mais qu'importe ? chien qui chemine ne meurt pas de famine [2]. Allons, mangeons tout. Tu me régales.

Nous avions repris le chemin de Séville. A l'entrée de la rue du Serpent, elle acheta une douzaine

1. *Mañana será otro día* (proverbe espagnol).
2. *Chuquel sos pirela,*
   Cocal terela.
   Chien qui marche, os trouvé. – Proverbe bohémien.

d'oranges, qu'elle me fit mettre dans mon mouchoir.
Un peu plus loin, elle acheta encore un pain, du
saucisson, une bouteille de manzanilla ; puis enfin
elle entra chez un confiseur. Là, elle jeta sur le
comptoir la pièce d'or que je lui avais rendue, une
autre encore qu'elle avait dans sa poche, avec
quelque argent blanc ; enfin elle me demanda tout
ce que j'avais. Je n'avais qu'une piécette et quelques
cuartos, que je lui donnai, fort honteux de n'avoir
pas davantage. Je crus qu'elle voulait emporter toute
la boutique. Elle prit tout ce qu'il y avait de plus beau
et de plus cher, *yemas* [1], *turon* [2], fruits confits, tant que
l'argent dura. Tout cela, il fallait encore que je le
portasse dans des sacs de papier. Vous connaissez
peut-être la rue du Candilejo, où il y a une tête du
roi don Pedro le Justicier [3]. Elle aurait dû m'inspirer
des réflexions. Nous nous arrêtâmes dans cette
rue-là, devant une vieille maison. Elle entra dans

---

1. Jaunes d'œufs sucrés.
2. Espèce de nougat.
3. Le roi don Pèdre, que nous nommons *le Cruel*, et que la
reine Isabelle la Catholique n'appelait jamais que *le Justicier*,
aimait à se promener le soir dans les rues de Séville, cherchant
les aventures, comme le calife Haroûn-al-Raschid. Certaine
nuit, il se prit de querelle, dans une rue écartée, avec un homme
qui donnait une sénérade. On se battit, et le roi tua le cavalier
amoureux. Au bruit des épées, une vieille femme mit la tête
à la fenêtre, et éclaira la scène avec la petite lampe, *candilejo*,
qu'elle tenait à la main. Il faut savoir que le roi don Pèdre,
d'ailleurs leste et vigoureux, avait un défaut de conformation
singulier. Quand il marchait, ses rotules craquaient fortement.
La vieille, à ce craquement, n'eut pas de peine à le reconnaître.
Le lendemain, le Vingt-quatre en charge vint faire son rapport
au roi. « Sire, on s'est battu en duel, cette nuit, dans telle rue.

l'allée, et frappa au rez-de-chaussée. Une bohémienne, vraie servante de Satan, vint nous ouvrir. Carmen lui dit quelques mots en rommani. La vieille grogna d'abord. Pour l'apaiser, Carmen lui donna deux oranges et une poignée de bonbons et lui permit de goûter au vin. Puis elle lui mit sa mante sur le dos et la conduisit à la porte, qu'elle ferma avec la barre de bois. Dès que nous fûmes seuls, elle se mit à danser et à rire comme une folle, en chantant :

– Tu es mon *rom*, je suis ta *romi* [2].

Moi, j'étais au milieu de la chambre, chargé de toutes ses emplettes, ne sachant où les poser. Elle jeta tout par terre, et me sauta au cou en me disant :

– Je paie mes dettes, je paie mes dettes ! c'est la loi des Calés [3] !

Un des combattants est mort. – Avez-vous découvert le meurtrier ? – Oui, sire. – Pourquoi n'est-il pas déjà puni ? – Sire, j'attends vos ordres. – Exécutez la loi. » Or le roi venait de publier un décret portant que tout duelliste serait décapité, et que sa tête demeurerait exposée sur le lieu du combat. Le Vingt-quatre se tira d'affaire en homme d'esprit. Il fit scier la tête d'une statue du roi, et l'exposa dans une niche au milieu de la rue, théâtre du meurtre. Le roi et tous les Sévillans le trouvèrent fort bon. La rue prit son nom de la lampe de la vieille, seul témoin de l'aventure. – Voilà la tradition populaire. Zuniga raconte l'histoire un peu différemment. (Voir *Anales de Sevilla*, t. II, p. 136) Quoi qu'il en soit, il existe encore à Séville une rue du Candilejo, et dans cette rue un buste de pierre qu'on dit être le portrait de don Pèdre. Malheureusement, ce buste est moderne. L'ancien était fort usé au xviie siècle, et la municipalité d'alors le fit remplacer par celui qu'on voit aujourd'hui.

2. *Rom,* mari ; *romi,* femme.

3. *Calo ;* féminin, *calli ;* pluriel, *calés.* Mot à mot *noir* – nom que les bohémiens se donnent dans leur langue.

Ah ! monsieur, cette journée-là ! cette journée-là !... quand j'y pense, j'oublie celle de demain.

Le bandit se tut un instant ; puis, après avoir rallumé son cigare, il reprit :

Nous passâmes ensemble toute la journée, mangeant, buvant, et le reste. Quand elle eut mangé des bonbons comme un enfant de six ans, elle en fourra des poignées dans la jarre d'eau de la vieille. « C'est pour lui faire du sorbet », disait-elle. Elle écrasait des yemas en les lançant contre la muraille. « C'est pour que les mouches nous laissent tranquilles » disait-elle... Il n'y a pas de tour ni de bêtise qu'elle ne fît. Je lui dis que je voudrais la voir danser ; mais où trouver des castagnettes ? Aussitôt elle prend la seule assiette de la vieille, la casse en morceaux, et la voilà qui danse la romalis en faisant claquer les morceaux de faïence aussi bien que si elle avait eu des castagnettes d'ébène ou d'ivoire. On ne s'ennuyait pas auprès de cette fille-là, je vous en réponds. Le soir vint, et j'entendis les tambours qui battaient la retraite.

– Il faut que j'aille au quartier pour l'appel, lui dis-je.

– Au quartier ? dit-elle d'un air de mépris ; tu es donc un nègre, pour te laisser mener à la baguette ? Tu es un vrai canari, d'habit et de caractère [1]. Va, tu as un cœur de poulet.

Je restai, résigné d'avance à la salle de police. Le matin, ce fut elle qui parla la première de nous séparer.

1. Les dragons espagnols sont habillés de jaune.

– Écoute, Joseito, dit-elle ; t'ai-je payé ? D'après notre loi, je ne te devais rien, puisque tu es un *payllo* ; mais tu es un joli garçon, et tu m'as plu. Nous sommes quittes. Bonjour.

Je lui demandai quand je la reverrais.

– Quand tu seras moins niais, répondit-elle en riant. Puis, d'un ton plus sérieux : Sais-tu, mon fils, que je crois que je t'aime un peu ? Mais cela ne peut durer. Chien et loup ne font pas longtemps bon ménage. Peut-être que, si tu prenais la loi d'Égypte, j'aimerais à devenir ta romi. Mais ce sont des bêtises : cela ne se peut pas. Bah ! mon garçon, crois-moi, tu en es quitte à bon compte. Tu as rencontré le diable, oui, le diable ; il n'est pas toujours noir, et il ne t'a pas tordu le cou. Je suis habillée de laine, mais je ne suis pas mouton [1]. Va mettre un cierge devant ta *majari* [2] ; elle l'a bien gagné. Allons, adieu encore une fois. Ne pense plus à Carmencita, ou elle te ferait épouser une veuve à jambe de bois [3].

En parlant ainsi, elle défaisait la barre qui fermait la porte, et une fois dans la rue elle s'enveloppa dans sa mantille et me tourna les talons.

Elle disait vrai. J'aurais été sage de ne plus penser à elle ; mais, depuis cette journée dans la rue du Candilejo, je ne pouvais plus songer à autre chose. Je me promenais tout le jour, espérant la rencontrer. J'en demandais des nouvelles à la vieille et au

1. *Me dicas vriardà de jorpoy, bus ne sino braco.* – Proverbe bohémien.
2. La sainte. – La sainte Vierge.
3. La potence qui est veuve du dernier pendu.

marchand de friture. L'un et l'autre répondaient qu'elle était partie pour Laloro [1], c'est ainsi qu'ils appellent le Portugal. Probablement c'était d'après les instructions de Carmen qu'ils parlaient de la sorte, mais je ne tardai pas à savoir qu'ils mentaient. Quelques semaines après ma journée de la rue du Candilejo, je fus de faction à une des portes de la ville. A peu de distance de cette porte, il y avait une brèche qui s'était faite dans le mur d'enceinte ; on y travaillait pendant le jour, et la nuit on y mettait un factionnaire pour empêcher les fraudeurs. Pendant le jour, je vis Lillas Pastia passer et repasser autour du corps de garde, et causer avec quelques-uns de mes camarades ; tous le connaissaient, et ses poissons et ses beignets encore mieux. Il s'approcha de moi et me demanda si j'avais des nouvelles de Carmen.

– Non, lui dis-je.

– Eh bien, vous en aurez, compère.

Il ne se trompait pas. La nuit, je fus mis de faction à la brèche. Dès que le brigadier se fut retiré, je vis venir à moi une femme. Le cœur me disait que c'était Carmen. Cependant je criai :

– Au large ! On ne passe pas !

– Ne faites donc pas le méchant, me dit-elle en se faisant connaître à moi.

– Quoi ! vous voilà, Carmen !

– Oui, mon pays. Parlons peu, parlons bien. Veux-tu gagner un douro ? Il va venir des gens avec des paquets ; laisse-les faire.

1. La (terre) rouge.

– Non, répondis-je. Je dois les empêcher de passer ; c'est la consigne.

– La consigne ! la consigne ! Tu n'y pensais pas rue du Candilejo.

– Ah ! répondis-je, tout bouleversé par ce seul souvenir, cela valait la peine d'oublier la consigne ; mais je ne veux pas de l'argent des contrebandiers.

– Voyons, si tu ne veux pas d'argent, veux-tu que nous allions encore dîner chez la vieille Dorothée ?

– Non ! dis-je à moitié étranglé par l'effort que je faisais. Je ne puis pas.

– Fort bien. Si tu es si difficile, je sais à qui m'adresser. J'offrirai à ton officier d'aller chez Dorothée. Il a l'air d'un bon enfant, et il fera mettre en sentinelle un gaillard qui ne verra que ce qu'il faudra voir. Adieu, canari. Je rirai bien le jour où la consigne sera de te pendre.

J'eus la faiblesse de la rappeler, et je promis de laisser passer toute la bohême, s'il le fallait, pourvu que j'obtinsse la seule seule récompense que je désirais. Elle me jura aussitôt de me tenir parole dès le lendemain, et courut prévenir ses amis qui étaient à deux pas. Il y en avait cinq, dont était Pastia, tous bien chargés de marchandises anglaises. Carmen faisait le guet. Elle devait avertir avec ses castagnettes dès qu'elle apercevrait la ronde, mais elle n'en eut pas besoin. Les fraudeurs firent leur affaire en un instant.

Le lendemain, j'allai rue du Candilejo. Carmen se fit attendre, et vint d'assez mauvaise humeur.

– Je n'aime pas les gens qui se font prier, dit-elle.
Tu m'as rendu un plus grand service la première fois,
sans savoir si tu y gagnerais quelque chose. Hier, tu
as marchandé avec moi. Je ne sais pas pourquoi je
suis venue, car je ne t'aime plus. Tiens, va-t-en, voilà
un douro pour ta peine.

Peu s'en fallut que je ne lui jetasse la pièce à la
tête, et je fus obligé de faire un effort violent sur
moi-même pour ne pas la battre. Après nous être
disputés pendant une heure, je sortis furieux. J'errai
quelque temps par la ville, marchant deçà et delà
comme un fou ; enfin j'entrai dans une église, et
m'étant mis dans le coin le plus obscur, je pleurai
à chaudes larmes. Tout d'un coup j'entends une
voix :

– Larmes de dragon ! j'en veux faire un philtre.

Je lève le yeux, c'était Carmen en face de moi.

– Eh bien, mon pays, m'en voulez-vous encore ?
me dit-elle. Il faut bien que je vous aime, malgré que
j'en aie, car, depuis que vous m'avez quittée, je ne
sais ce que j'ai. Voyons, maintenant, c'est moi qui
te demande si tu veux venir rue du Candilejo.

Nous fîmes donc la paix ; mais Carmen avait
l'humeur comme est le temps chez nous. Jamais
l'orage n'est si près dans nos montagnes que lorsque
le soleil est le plus brillant. Elle m'avait promis de
me revoir une autre fois chez Dorothée, et elle ne
vint pas. Et Dorothée me dit de plus belle qu'elle
était allée à Laloro pour les affaires d'Égypte.

Sachant déjà par expérience à quoi m'en tenir

là-dessus, je cherchais Carmen partout où je croyais qu'elle pouvait être, et je passais vingt fois par jour dans le rue du Candilejo. Un soir, j'étais chez Dorothée, que j'avais presque apprivoisée en lui payant de temps à autre quelque verre d'anisette, lorsque Carmen entra suivie d'un jeune homme, lieutenant dans notre régiment.

— Va-t'en vite, me dit-elle en basque.

Je restai stupéfait, la rage dans le cœur.

— Qu'est-ce que tu fais ici ? me dit le lieutenant. Décampe, hors d'ici.

Je ne pouvais faire un pas ; j'étais comme perclus. L'officier, en colère, voyant que je ne me retirais pas, et que je n'avais pas même ôté mon bonnet de police, me prit au collet et me secoua rudement. Je ne sais ce que je lui dis. Il tira son épée, et je dégainai. La vieille me saisit le bras, le lieutenant me donna un coup au front, dont je porte encore la marque. Je reculai, et d'un coup de coude je jetai Dorothée à la renverse ; puis, comme le lieutenant me poursuivait, je mis la pointe au corps, et il s'enferra. Carmen alors éteignit la lampe, et dit dans sa langue à Dorothée de s'enfuir. Moi-même je me sauvai dans la rue, et me mis à courir sans savoir où. Il me semblait que quelqu'un me suivait. Quand je revins à moi, je trouvai que Carmen ne m'avait pas quitté.

— Grand niais de canari ! me dit-elle, tu ne sais faire que des bêtises. Aussi bien, je te l'ai dit que je te porterais malheur. Allons, il y a remède à tout, quand on a pour bonne amie une Flamande de

Rome [1]. Commence à mettre ce mouchoir sur ta tête,
et jette-moi ce ceinturon. Attends-moi dans cette
allée. Je reviens dans deux minutes.

Elle disparut, et me rapporta bientôt une mante
rayée qu'elle était allée chercher je ne sais où. Elle
me fit quitter mon uniforme, et mettre la mante
par-dessus ma chemise. Ainsi accoutré, avec le
mouchoir dont elle avait bandé la plaie que j'avais
à la tête, je ressemblais assez à un paysan valencien,
comme il y en a à Séville, qui viennent vendre leur
orgeat de *chufas* [2]. Puis elle me mena dans une maison
assez semblable à celle de Dorothée, au fond d'une
petite ruelle. Elle et une autre bohémienne me
lavèrent, me pansèrent mieux que n'eût pu le faire
un chirurgien-major, me firent boire je ne sais quoi ;
enfin, on me mit sur un matelas, et je m'endormis.

Probablement ces femmes avaient mêlé dans ma
boisson quelques-unes de ces drogues assoupissan-
tes dont elles ont le secret, car je ne m'éveillai que
fort tard le lendemain. J'avais un grand mal de tête
et un peu de fièvre. Il fallut quelque temps pour que
le souvenir me revînt de la terrible scène où j'avais
pris part la veille. Après avoir pansé ma plaie,
Carmen et son amie, accroupies toutes les deux sur

1. *Flamenca de Roma.* Terme d'argot qui désigne les bohémiennes. *Roma* ne veut pas dire ici la Ville Éternelle, mais la
nation des Romi ou des *gens mariés,* nom que se donnent les
bohémiens. Les premiers qu'on vit en Espagne venaient
probablement des Pays-Bas, d'où est venu leur nom de
Flamands.
2. Racine bulbeuse dont on fait une boisson assez agréable.

les talons auprès de mon matelas, échangèrent quelques mots en *chipe calli,* qui paraissaient être une consultation médicale. Puis toutes deux m'assurèrent que je serais guéri avant peu, mais qu'il fallait quitter Séville le plus tôt possible : car, si l'on m'y attrapait, j'y serais fusillé sans rémission.

— Mon garçon, me dit Carmen, il faut que tu fasses quelque chose ; maintenant que le roi ne te donne plus ni riz ni merluche [1], il faut que tu songes à gagner ta vie. Tu es trop bête pour voler *à pastesas* [2], mais tu es leste et fort : si tu as du cœur, va-t'en à la côte, et fais-toi contrebandier. Ne t'ai-je pas promis de te faire pendre ? Cela vaut mieux que d'être fusillé. D'ailleurs, si tu sais t'y prendre, tu vivras comme un prince, aussi longtemps que les miñons [3] et les gardes-côtes ne te mettront pas la main sur le collet.

Ce fut de cette façon engageante que cette diable de fille me montra la nouvelle carrière qu'elle me destinait, la seule, à vrai dire, qui me restât, maintenant que j'avais encouru la peine de mort. Vous le dirai-je, monsieur ? elle me détermina sans beaucoup de peine. Il me semblait que je m'unissais à elle plus intimement par cette vie de hasards et de rébellion. Désormais je crus m'assurer son amour. J'avais entendu souvent parler de quelques contrebandiers qui parcouraient l'Andalousie, montés sur un bon cheval, l'espingole au poing, leur maîtresse

1. Nourriture ordinaire du soldat espagnol.
2. *Ustilar à pastesas,* voler avec adresse, dérober sans violence.
3. Espèce de corps franc.

en croupe. Je me voyais déjà trottant par monts et
par vaux avec la gentille bohémienne derrière moi.
Quand je lui parlais de cela, elle riait à se tenir les
côtés, et me disait qu'il n'y a rien de si beau qu'une
nuit passée au bivouac, lorsque chaque rom se retire
avec sa romi sous sa petite tente formée de
trois cerceaux, avec une couverture par-dessus.

— Si je te tiens jamais dans la montagne, lui
disais-je, je serai sûr de toi. Là, il n'y a pas de
lieutenant pour partager avec moi.

— Ah ! tu es jaloux, répondait-elle. Tant pis pour
toi. Comment es-tu assez bête pour cela ? Ne vois-tu
pas que je t'aime, puisque je ne t'ai jamais demandé
d'argent ?

Lorsqu'elle parlait ainsi, j'avais envie de
l'étrangler.

Pour le faire court, monsieur, Carmen me procura
un habit bourgeois, avec lequel je sortis de Séville
sans être reconnu. J'allai à Jerez avec une lettre de
Pastia pour un marchand d'anisette chez qui se
réunissaient des contrebandiers. On me présenta à
ces gens-là, dont le chef, surnommé le Dancaïre, me
reçut dans sa troupe. Nous partîmes pour Gaucin,
où je retrouvai Carmen, qui m'y avait donné
rendez-vous. Dans les expéditions, elle servait
d'espion à nos gens, et de meilleur il n'y en eut
jamais. Elle revenait de Gibraltar, et déjà elle avait
arrangé avec un patron de navire l'embarquement
de marchandises anglaises que nous devions recevoir
sur la côte. Nous allâmes les attendre près d'Este-
pona, puis nous en cachâmes une partie dans la

montagne ; chargés du reste, nous nous rendîmes à Ronda. Carmen nous y avait précédés. Ce fut elle encore qui nous indiqua le moment où nous entrerions en ville. Ce premier voyage et quelques autres après furent heureux. La vie de contrebandier me plaisait mieux que la vie de soldat ; je faisais des cadeaux à Carmen. J'avais de l'argent et une maîtresse. Je n'avais guère de remords, car, comme disent les bohémiens : Gale avec plaisir ne démange pas [1]. Partout nous étions bien reçus, mes compagnons me traitaient bien, et même me témoignaient de la considération. La raison, c'était que j'avais tué un homme, et parmi eux il y en avait qui n'avaient pas un pareil exploit sur la conscience. Mais ce qui me touchait davantage dans ma nouvelle vie, c'est que je voyais souvent Carmen. Elle me montrait plus d'amitié que jamais ; cependant, devant les camarades, elle ne convenait pas qu'elle était ma maîtresse ; et même, elle m'avait fait jurer par toutes sortes de serments de ne rien leur dire sur son compte. J'étais si faible devant cette créature, que j'obéissais à tous ses caprices. D'ailleurs, c'était la première fois qu'elle se montrait à moi avec la réserve d'une honnête femme, et j'étais assez simple pour croire qu'elle s'était véritablement corrigée de ses façons d'autrefois.

Notre troupe, qui se composait de huit ou dix hommes, ne se réunissait guère que dans les moments décisifs, et d'ordinaire nous étions disper-

---

1. *Sarapia sat pesquital ne punzava.*

"Notre troupe se composait de huit à dix hommes..."

sés deux à deux, trois à trois, dans les villes et les
villages. Chacun de nous prétendait avoir un métier :
celui-ci était chaudronnier, celui-là maquignon ; moi,
j'étais marchand de merceries, mais je ne me
montrais guère dans les gros endroits, à cause de
ma mauvaise affaire de Séville. Un jour, ou plutôt
une nuit, notre rendez-vous était au bas de Véger.
Le Dancaïre et moi nous nous y trouvâmes avant les
autres. Il paraissait fort gai.

– Nous allons avoir un camarade de plus, me dit-il.
Carmen vient de faire un de ses meilleurs tours. Elle
vient de faire échapper son rom qui était au presidio
à Tarifa.

Je commençais déjà à comprendre le bohémien,
que parlaient presque tous mes camarades, et ce mot
de rom me causa un saisissement.

– Comment ! son mari ! elle est donc mariée ?
demandai-je au capitaine.

– Oui, répondit-il, à Garcia le Borgne, un bohémien aussi futé qu'elle. Le pauvre garçon était aux
galères. Carmen a si bien emboneliné le chirurgien
du presidio, qu'elle en a obtenu la liberté de son rom.
Ah ! cette fille-là vaut son pesant d'or. Il y a deux ans
qu'elle cherche à le faire évader. Rien n'a réussi,
jusqu'à ce qu'on s'est avisé de changer le major. Avec
celui-ci, il paraît qu'elle a trouvé bien vite le moyen
de s'entendre.

Vous vous imaginez le plaisir que me fit cette
nouvelle. Je vis bientôt Garcia le Borgne ; c'était bien
le plus vilain monstre que la bohême ait nourri : noir
de peau et plus noir d'âme, c'était le plus franc

scélérat que j'aie rencontré dans ma vie. Carmen vint avec lui ; et, lorsqu'elle l'appelait son rom devant moi, il fallait voir les yeux qu'elle me faisait, et ses grimaces quand Garcia tournait la tête. J'étais indigné, et je ne lui parlai pas de la nuit. Le matin nous avions fait nos ballots, et nous étions déjà en route, quand nous nous aperçûmes qu'une douzaine de cavaliers étaient à nos trousses. Les fanfarons Andalous qui ne parlaient que de tout massacrer firent aussitôt piteuse mine. Ce fut un sauve-qui-peut général. Le Dancaïre, Garcia, un joli garçon d'Ecija, qui s'appelait le Remendado, et Carmen ne perdirent pas la tête. Le reste avait abandonné les mulets et s'était jeté dans les ravins où les chevaux ne pouvaient les suivre. Nous ne pouvions conserver nos bêtes, et nous nous hâtâmes de défaire le meilleur de notre butin, et de le charger sur nos épaules, puis nous essayâmes de nous sauver au travers des rochers par les pentes les plus raides. Nous jetions nos ballots devant nous, et nous les suivions de notre mieux en glissant sur les talons. Pendant ce temps-là, l'ennemi nous canardait ; c'était la première fois que j'entendais siffler les balles, et cela ne me fit pas grand-chose. Quand on est en vue d'une femme, il n'y a pas de mérite à se moquer de la mort. Nous nous échappâmes, excepté le pauvre Remendado, qui reçut un coup de feu dans les reins. Je jetai mon paquet, et j'essayai de le prendre.

— Imbécile ! me cria Garcia, qu'avons-nous à faire d'une charogne ? achève-le et ne perds pas les bas de coton.

– Jette-le ! Jette-le ! me criait Carmen.

La fatigue m'obligea de le déposer un moment à l'abri d'un rocher. Garcia s'avança, et lui lâcha son espingole dans la tête.

– Bien habile qui le reconnaîtrait maintenant, dit-il en regardant sa figure que douze balles avaient mise en morceaux.

Voilà, monsieur, la belle vie que j'ai menée. Le soir, nous nous trouvâmes dans un hallier, épuisés de fatigue, n'ayant rien à manger et ruinés par la perte de nos mulets. Que fit cet infernal Garcia ? il tira un paquet de cartes de sa poche, et se mit à jouer avec le Dancaïre à la lueur d'un feu qu'ils allumèrent. Pendant ce temps-là, moi, j'étais couché, regardant les étoiles, pensant au Remendado, et me disant que j'aimerais autant être à sa place. Carmen était accroupie près de moi, et de temps en temps, elle faisait un roulement de castagnettes en chantonnant. Puis, s'approchant comme pour me parler à l'oreille, elle m'embrassa, presque malgré moi, deux ou trois fois.

– Tu es le diable, lui disais-je.

– Oui, me répondait-elle.

Après quelques heures de repos, elle s'en fut à Gaucin, et le lendemain matin un petit chevrier vint nous porter du pain. Nous demeurâmes là tout le jour, et la nuit nous nous rapprochâmes de Gaucin. Nous attendions des nouvelles de Carmen. Rien ne venait. Au jour, nous voyons un muletier qui menait une femme bien habillée, avec un parasol, et une petite fille qui paraissait sa domestique. Garcia nous dit :

– Voilà deux mules et deux femmes que saint Nicolas nous envoie ; j'aimerais mieux quatre mules ; n'importe, j'en fais mon affaire !

Il prit son espingole et descendit vers le sentier en se cachant dans les broussailles. Nous le suivions, le Dancaïre et moi, à peu de distance. Quand nous fûmes à portée, nous nous montrâmes, et nous criâmes au muletier de s'arrêter. La femme, en nous voyant, au lieu de s'effrayer, et notre toilette aurait suffi pour cela, fait un grand éclat de rire.

– Ah ! les *lillipendi* qui me prennent pour une *erani* [1].

C'était Carmen, mais si bien déguisée, que je ne l'aurais pas reconnue parlant une autre langue. Elle sauta en bas de sa mule, et causa quelque temps à voix basse avec le Dancaïre et Garcia, puis elle me dit :

– Canari, nous nous reverrons avant que tu sois pendu. Je vais à Gibraltar pour les affaires d'Égypte. Vous entendrez bientôt parler de moi.

Nous nous séparâmes après qu'elle nous eut indiqué un lieu où nous pourrions trouver un abri pour quelques jours. Cette fille était la providence de notre troupe. Nous reçûmes bientôt quelque argent qu'elle nous envoya, et un avis qui valait mieux pour nous : c'était que tel jour partiraient deux

---

1. Les imbéciles qui me prennent pour une femme comme il faut.

milords anglais, allant de Gibraltar à Grenade par tel chemin. A bon entendeur salut. Ils avaient de belles et bonnes guinées. Garcia voulait les tuer, mais le Dancaïre et moi nous nous y opposâmes. Nous ne leur prîmes que l'argent et les montres, outre les chemises, dont nous avions grand besoin.

Monsieur, on devient coquin sans y penser. Une jolie fille vous fait perdre la tête, on se bat pour elle, un malheur arrive, il faut vivre à la montagne, et de contrebandier on devient voleur avant d'avoir réfléchi. Nous jugeâmes qu'il ne faisait pas bon pour nous dans les environs de Gibraltar après l'affaire des milords, et nous nous enfonçâmes dans la sierra de Ronda. – Vous m'avez parlé de José-Maria ; tenez, c'est là que j'ai fait connaissance avec lui. Il menait sa maîtresse dans ses expéditions. C'était une jolie fille, sage, modeste, de bonnes manières ; jamais un mot malhonnête, et un dévouement !... En revanche, il la rendait bien malheureuse. Il était toujours à courir après toutes les filles, il la malmenait, puis quelquefois il s'avisait de faire le jaloux. Une fois, il lui donna un coup de couteau. Eh bien, elle ne l'en aimait que davantage. Les femmes sont ainsi faites, les Andalouses surtout. Celle-là était fière de la cicatrice qu'elle avait au bras, et la montrait comme la plus belle chose du monde. Et puis José-Maria, par-dessus le marché, était le plus mauvais camarade !... Dans une expédition que nous fîmes, il s'arrangea si bien que tout le profit lui en demeura, à nous les coups et l'embarras de l'affaire. Mais je

reprends mon histoire. Nous n'entendions plus
parler de Carmen. Le Dancaïre dit :

– Il faut qu'un de nous aille à Gibraltar pour en
avoir des nouvelles ; elle doit avoir préparé quelque
affaire. J'irais bien, mais je suis trop connu à
Gibraltar.

Le borgne dit :

– Moi aussi, on m'y connaît, j'y ai fait tant de farces
aux Écrevisses [1] ! et, comme je n'ai qu'un œil, je suis
difficile à déguiser.

– Il faut donc que j'y aille ? dis-je à mon tour,
enchanté à la seule idée de revoir Carmen ; voyons,
que faut-il faire ?

Les autres me dirent :

– Fais tant que de t'embarquer ou de passer par
Saint-Roc, comme tu aimeras le mieux, et, lorsque
tu seras à Gibraltar, demande sur le port où demeure
une marchande de chocolat qui s'appelle la Rollona ;
quand tu l'auras trouvée, tu sauras d'elle ce qui se
passe là-bas.

Il fut convenu que nous partirions tous les trois
pour la sierra de Gaucin, que j'y laisserais mes deux
compagnons, et que je me rendrais à Gibraltar
comme un marchand de fruits. A Ronda, un homme
qui était à nous m'avait procuré un passeport ; à
Gaucin, on me donna un âne : je le chargeai
d'oranges et de melons, et je me mis en route. Arrivé
à Gibraltar, je trouvai qu'on y connaissait bien la

---

1. Nom que le peuple en Espagne donne aux Anglais à cause
de la couleur de leur uniforme.

Rollona, mais elle était morte ou elle était allée à
finibus terræ [1], et sa disparition expliquait, à mon avis,
comment nous avions perdu notre moyen de corres-
pondre avec Carmen. Je mis mon âne dans une
écurie, et, prenant mes oranges, j'allais par la ville
comme pour les vendre, mais en effet, pour voir si
je ne rencontrerais pas quelque figure de connaissance. Il y a là force canaille de tous les pays du
monde, et c'est la tour de Babel, car on ne saurait
faire dix pas dans une rue sans entendre parler autant
de langues. Je voyais bien des gens d'Égypte, mais
je n'osais guère m'y fier ; je les tâtais, et ils me
tâtaient. Nous devinions bien que nous étions des
coquins, l'important était de savoir si nous étions de
la même bande. Après deux jours passés en courses
inutiles, je n'avais rien appris touchant la Rollona
ni Carmen, et je pensais à retourner auprès de mes
camarades après avoir fait quelques emplettes,
lorsqu'en me promenant dans une rue, au coucher
du soleil, j'entendis une voix de femme d'une fenêtre
qui me dit : « Marchand d'oranges !... » Je lève la
tête, et je vois à un balcon Carmen, accoudée avec
un officier en rouge, épaulettes d'or, cheveux frisés,
tournure d'un gros mylord. Pour elle, elle était
habillée superbement : un châle sur les épaules, un
peigne d'or, tout en soie ; et la bonne pièce, toujours
la même ! riait à se tenir les côtes. L'Anglais, en
baragouinant l'espagnol, me cria de monter, que
madame voulait des oranges ; et Carmen me dit en
basque :

---

1. Aux galères, ou bien à tous les diables.

– Monte, et ne t'étonne de rien.

Rien, en effet, ne devait m'étonner de sa part. Je ne sais si j'eus plus de joie que de chagrin en la retrouvant. Il y avait à la porte un grand domestique anglais, poudré, qui me conduisit dans un salon magnifique. Carmen me dit aussitôt en basque :

– Tu ne sais pas un mot d'espagnol, tu ne me connais pas.

Puis, se tournant vers l'Anglais :

– Je vous le disais bien, je l'ai tout de suite reconnu pour un Basque ; vous allez entendre quelle drôle de langue. Comme il a l'air bête, n'est-ce pas ? On dirait un chat surpris dans un garde-manger.

– Et toi, lui dis-je dans ma langue, tu as l'air d'une effrontée coquine, et j'ai bien envie de te balafrer la figure devant ton galant.

– Mon galant ! dit-elle, tiens, tu as deviné cela tout seul ? Et tu es jaloux de cet imbécile-là ? tu est encore plus niais qu'avant nos soirées de la rue du Candilejo. Ne vois-tu pas, sot que tu es, que je fais en ce moment les affaires d'Égypte, et de la façon la plus brillante ? Cette maison est à moi, les guinées de l'écrevisse seront à moi ; je le mène par le bout du nez ; je le mènerai d'où il ne sortira jamais.

– Et moi, lui dis-je, si tu fais encore les affaires d'Égypte de cette manière-là, je ferai si bien que tu ne recommenceras plus.

– Ah ! oui-là ! Es-tu mon rom, pour me commander ? Le Borgne le trouve bon, qu'as-tu à y voir ? Ne devrais-tu pas être bien content d'être le seul qui se puisse dire mon *minchorrô* [1] ?

1. Mon amant, ou plutôt mon caprice.

– Qu'est-ce qu'il dit ? demanda l'Anglais.

– Il dit qu'il a soif et qu'il boirait bien un coup, répondit Carmen.

Et elle se renversa sur un canapé en éclatant de rire à sa traduction.

Monsieur, quand cette fille-là riait, il n'y avait pas moyen de parler raison. Tout le monde riait avec elle. Ce grand Anglais se mit à rire aussi, comme un imbécile qu'il était, et ordonna qu'on m'apportât à boire.

Pendant que je buvais :

– Vois-tu cette bague qu'il a au doigt ? dit-elle, si tu veux je te la donnerai.

Moi je répondis :

– Je donnerais un doigt pour tenir ton mylord dans la montagne, chacun un maquila au poing.

– Maquila, qu'est-ce que cela veut dire ? demanda l'Anglais.

– Maquila, dit Carmen riant toujours, c'est une orange. N'est-ce pas un bien drôle de mot pour une orange ? Il dit qu'il voudrait vous faire manger du maquila.

– Oui ? dit l'Anglais. Eh bien ? apporte encore demain du maquila.

Pendant que nous parlions, le domestique entra et dit que le dîner était prêt. Alors l'anglais se leva, me donna une piastre, et offrit son bras à Carmen, comme si elle ne pouvait pas marcher seule. Carmen, riant toujours, me dit :

– Mon garçon, je ne puis t'inviter à dîner ; mais demain, dès que tu entendras le tambour pour la parade, viens ici avec des oranges. Tu trouveras une chambre mieux meublée que celle de la rue du Candilejo, et tu verras si je suis toujours ta Carmencita. Et puis nous parlerons des affaires d'Égypte.

Je ne répondis rien, et j'étais dans la rue que l'Anglais me criait :

– Apportez demain du maquila ! et j'entendais les éclats de rire de Carmen.

Je sortis ne sachant ce que je ferais, je ne dormis guère, le matin je me trouvais si en colère contre cette traîtresse que j'avais résolu de partir de Gibraltar sans la revoir ; mais, au premier roulement de tambour, tout mon courage m'abandonna : je pris ma natte d'oranges et je courus chez Carmen. Sa jalousie était entrouverte, et je vis son grand œil noir qui me guettait. Le domestique poudré m'introduisit aussitôt. Carmen lui donna une commission, et dès que nous fûmes seuls, elle partit d'un de ses éclats de rire de crocodile, et se jeta à mon cou. Je ne l'avais jamais vue si belle. Parée comme une madone, parfumée... des meubles de soie, des rideaux brodés... ah !... et moi fait comme un voleur que j'étais.

– Minchorrô ? disait Carmen, j'ai envie de tout casser ici, de mettre le feu à la maison et de m'enfuir à la sierra.

Et c'étaient des tendresses !... et puis des rires !... et elle dansait, et elle déchirait ses falbalas : jamais singe ne fit plus de gambades, de grimaces, de diableries. Quand elle eut repris son sérieux :

– Écoute, me dit-elle, il s'agit de l'Égypte. Je veux

qu'il me mène à Ronda, où j'ai une sœur religieuse...
(Ici nouveaux éclats de rire.) Nous passons par un
endroit que je te ferai dire. Vous tombez sur lui :
pillé rasibus ! Le mieux serait de l'escoffier, mais,
ajouta-t-elle avec un sourire diabolique q'elle avait
dans certains moments, et ce sourire-là, personne
n'avait alors envie de l'imiter, – sais-tu ce qu'il
faudrait faire ? Que le Borgne paraisse le premier.
Tenez-vous un peu en arrière ; l'écrevisse est brave
et adroit : il a de bons pistolets... Comprends-tu ?...

Elle s'interrompit par un nouvel éclat de rire qui
me fit frissonner.

– Non, lui dis-je : je hais Garcia, mais c'est mon
camarade. Un jour peut-être je t'en débarrasserai,
mais nous réglerons nos comptes à la façon de mon
pays. Je ne suis Égyptien que par hasard ; et pour
certaines choses, je serai toujours franc Navarrais,
comme dit le proverbe [1].

Elle reprit :

– Tu es une bête, un niais, un vrai *payllo*. Tu es
comme le nain qui se croit grand quand il a pu
cracher loin [2]. Tu ne n'aimes pas, va-t-en.

Quand elle me disait : Va-t-en, je ne pouvais m'en
aller. Je promis de partir, de retourner auprès de mes
camarades et d'attendre l'Anglais ; de son côté, elle
me promit d'être malade jusqu'au moment de quitter
Gibraltar pour Ronda. Je demeurai encore deux jours
à Gibraltar. Elle eut l'audace de me venir voir

---

1. *Navarro fino.*
2. *Or esorjié de or narsichislé, sin chismar lachinguel.* – Proverbe
bohémien : La prouesse d'un nain, c'est de cracher loin.

déguisée dans mon auberge. Je partis ; moi aussi j'avais mon projet. Je retournai à notre rendez-vous, sachant le lieu et l'heure où l'Anglais et Carmen devaient passer. Je trouvai le Dancaïre et Garcia qui m'attendaient. Nous passâmes la nuit dans un bois auprès d'un feu de pommes de pin qui flambait à merveille. Je proposai à Garcia de jouer aux cartes. Il accepta. A la seconde partie je lui dis qu'il trichait ; il se mit à rire. Je lui jetai les cartes à la figure. Il voulut prendre son espingole ; je mis le pied dessus, et je lui dis : « On dit que tu sais jouer du couteau comme le meilleur jaque de Malaga, veux-tu t'essayer avec moi ? » Le Dancaïre voulut nous séparer. J'avais donné deux ou trois coup de poings à Garcia. La colère l'avait rendu brave ; il avait tiré son couteau, moi le mien. Nous dîmes tous deux au Dancaïre de nous laisser place libre et franc jeu. Il vit qu'il n'y avait pas moyen de nous arrêter, et il s'écarta. Garcia était déjà ployé en deux comme un chat prêt à s'élancer contre une souris. Il tenait son chapeau de la main gauche, pour parer, son couteau en avant. C'est leur garde andalouse. Moi, je me mis à la navarraise, droit en face de lui, le bras gauche levé, la jambe gauche en avant, le couteau le long de la cuisse droite. Je me sentais plus fort qu'un géant. Il se lança sur moi comme un trait ; je tournai sur le pied gauche et il ne trouva plus rien devant lui ; mais je l'atteignis à la gorge, et le couteau entra si avant, que ma main était sous son menton. Je retournai la lame si fort qu'elle se cassa. C'était fini. La lame sortit de la plaie lancée par un bouillon de sang gros comme le bras. Il tomba sur le nez, raide comme un pieu.

– Qu'as-tu fait ? me dit le Dancaïre.

– Écoute, lui dis-je ; nous ne pouvions vivre ensemble. J'aime Carmen, et je veux être seul. D'ailleurs, Garcia était un coquin, et je me rappelle ce qu'il a fait au pauvre Remendado. Nous ne sommes plus que deux, mais nous sommes de bons garçons. Voyons, veux-tu de moi pour ami, à la vie, à la mort ?

Le Dancaïre me tendit la main. C'était un homme de cinquante ans.

– Au diable les amourettes ! s'écria-t-il. Si tu lui avais demandé Carmen, il te l'aurait vendue pour une piastre. Nous ne sommes plus que deux ; comment ferons-nous demain ?

– Laisse-moi faire tout seul, lui répondis-je. Maintenant je me moque du monde entier.

Nous enterrâmes Garcia, et nous allâmes placer notre camp deux cents pas plus loin. Le lendemain, Carmen et son Anglais passèrent avec deux muletiers et un domestique. Je dis au Dancaïre :

– Je me charge de l'Anglais. Fais peur aux autres, ils ne sont pas armés.

L'Anglais avait du cœur. Si Carmen ne lui eût poussé le bras, il me tuait. Bref, je reconquis Carmen ce jour-là, et mon premier mot fut de lui dire qu'elle était veuve. Quand elle sut comment cela s'était passé :

– Tu seras toujours un *lillipendi* ! me dit-elle. Garcia devait te tuer. Ta garde navarraise n'est qu'une bêtise, et il en a mis à l'ombre de plus habiles que toi. C'est que son temps était venu. Le tien viendra.

— Et le tien, répondis-je, si tu n'es pas pour moi une vraie romi.

— A la bonne heure, dit-elle ; j'ai vu plus d'une fois dans du marc de café que nous devions finir ensemble. Bah ! arrive qui plante !

Et elle fit claquer ses castagnettes, ce qu'elle faisait toujours quand elle voulait chasser quelque idée importune.

On s'oublie quand on parle de soi. Tous ces détails-là vous ennuient sans doute, mais j'ai bientôt fini. La vie que nous menions dura assez longtemps. Le Dancaïre et moi nous nous étions associé quelques camarades plus sûrs que les premiers, et nous nous occupions de contrebande, et aussi parfois, il faut bien l'avouer, nous arrêtions sur la grande route, mais à la dernière extrémité, et lorsque nous ne pouvions faire autrement. D'ailleurs, nous ne maltraitions pas les voyageurs, et nous nous bornions à leur prendre leur argent. Pendant quelques mois je fus content de Carmen ; elle continuait à nous être utile pour nos opérations, en nous avertissant des bons coups que nous pourrions faire. Elle se tenait, soit à Malaga, soit à Cordoue, soit à Grenade ; mais, sur un mot de moi, elle quittait tout, et venait me retrouver dans une venta isolée, ou même au bivouac. Une fois seulement, c'était à Malaga, elle me donna quelque inquiétude. Je sus qu'elle avait jeté son dévolu sur un négociant fort riche, avec lequel probablement elle se proposait de recommencer la plaisanterie de Gibraltar. Malgré tout ce que le Dancaïre put me dire pour m'arrêter, je partis et j'entrai dans Malaga en plein jour, je cherchai Carmen et je l'emmenai aussitôt. Nous eûmes une verte explication.

– Sais-tu, me dit-elle, que, depuis que tu es mon rom pour tout de bon, je t'aime moins que lorsque tu étais mon minchorrô ? Je ne veux pas être tourmentée ni surtout commandée. Ce que je veux, c'est être libre et faire ce qui me plaît. Prends garde de me pousser à bout. Si tu m'ennuies, je trouverai quelque bon garçon qui te fera comme tu as fait au borgne.

Le Dancaïre nous raccommoda ; mais nous nous étions dit des choses qui nous restaient sur le cœur et nous n'étions plus comme auparavant. Peu après, un malheur nous arriva. La troupe nous surprit. Le Dancaïre fut tué, ainsi que deux de mes camarades ; deux autres furent pris. Moi, je fus grièvement blessé, et, sans mon bon cheval, je demeurais entre les mains des soldats. Exténué de fatigue, ayant une balle dans le corps, j'allai me cacher dans un bois avec le seul compagnon qui me restât. Je m'évanouis en descendant de cheval, et je crus que j'allais crever dans les broussailles comme un lièvre qui a reçu du plomb. Mon camarade me porta dans une grotte que nous connaissions, puis alla chercher Carmen. Elle était à Grenade, et aussitôt elle accourut. Pendant quinze jours, elle ne me quitta pas d'un instant. Elle ne ferma pas l'œil ; elle me soigna avec une adresse et des attentions que jamais femme n'a eues pour l'homme le plus aimé. Dès que je pus me tenir sur mes jambes, elle me mena à Grenade dans le plus grand secret. Les bohémiennes trouvent partout des asiles sûrs, et je passai plus de six semaines dans une maison, à deux portes du corrégidor qui me cherchait. Plus d'une fois, regardant derrière un volet, je le vis passer. Enfin, je me rétablis ; mais j'avais fait bien des réflexions sur mon lit de douleur, et je projetais de changer de vie. Je parlai à Carmen de quitter l'Espagne, et de chercher à vivre honnête- ment dans le Nouveau-Monde. Elle se moqua de moi.

– Nous ne sommes pas faits pour planter des choux, dit-elle ; notre destin, à nous, c'est de vivre aux dépens des *payllos*. Tiens, j'ai arrangé une affaire avec Nathan Ben-Joseph de Gibraltar. Il a des cotonnades qui n'attendent que toi pour passer. Il sait que tu es vivant. Il compte sur toi. Que diraient nos correspondants de Gibraltar, si tu leur manquais de parole ?

Je me laissai entraîner, et je repris mon vilain commerce.

Pendant que j'étais caché à Grenade, il y eut des courses de taureaux où Carmen alla. En revenant, elle parla beaucoup d'un picador très adroit nommé Lucas. Elle savait le nom de son cheval, et combien lui coûtait sa veste brodée. Je n'y fis pas attention. Juanito, le camarade qui m'était resté, me dit, quelques jours après, qu'il avait vu Carmen avec Lucas chez un marchand du Zacatin. Cela commença

à m'alarmer. Je demandai à Carmen comment et
pourquoi elle avait fait connaissance avec le picador.

– C'est un garçon, me dit-elle, avec qui on peut
faire une affaire. Rivière qui fait du bruit a de l'eau
ou des cailloux [1]. Il a gagné douze cents réaux aux
courses. De deux choses l'une : ou bien il faut avoir
cet argent ; ou bien, comme c'est un bon cavalier et
un gaillard de cœur, on peut l'enrôler dans notre
bande. Un tel et un tel sont morts, tu as besoin de
les remplacer. Prends-le avec toi.

– Je ne veux, répondis-je, ni de son argent, ni de
sa personne, et je te défends de lui parler.

– Prends garde, me dit-elle ; lorsqu'on me défie
de faire une chose, elle est bientôt faite !

Heureusement le picador partit pour Malaga, et
moi, je me mis en devoir de faire entrer les
cotonnades du Juif. J'eus fort à faire dans cette
expédition-là, Carmen aussi, et j'oubliai Lucas ;
peut-être aussi l'oublia-t-elle, pour le moment du
moins. C'est vers ce temps, monsieur, que je vous
rencontrai, d'abord près de Montilla, puis après à
Cordoue. Je ne vous parlerai pas de notre dernière
entrevue. Vous en savez peut-être plus long que moi.
Carmen vous vola votre montre ; elle voulait encore
votre argent, et surtout cette bague que je vois à
votre doigt, et qui, dit-elle, est un anneau magique
qu'il lui importait beaucoup de posséder. Nous
eûmes une violente dispute, et je la frappai. Elle pâlit

1. *Len sos sonsi abela ;*
   Pani o reblendani terela. (Proverbe bohémien.)

et pleura. C'était la première fois que je la voyais pleurer, et cela me fit un effet terrible. Je lui demandai pardon, mais elle me bouda pendant tout un jour, et, quand je repartis pour Montilla, elle ne voulut pas m'embrasser. J'avais le cœur gros, lorsque, trois jours après, elle vint me trouver l'air riant et gaie comme un pinson. Tout était oublié et nous avions l'air d'amoureux de deux jours. Au moment de nous séparer, elle me dit :

– Il y a une fête à Cordoue, je vais la voir, puis je saurai les gens qui s'en vont avec de l'argent, et je te le dirai.

Je la laissai partir. Seul, je pensai à cette fête et à ce changement d'humeur de Carmen. Il faut qu'elle se soit vengée déjà, me dis-je, puisqu'elle est revenue la première. Un paysan me dit qu'il y avait des taureaux à Cordoue. Voilà mon sang qui bouillonne, et, comme un fou, je pars, et je vais à la place. On me montra Lucas, et, sur le banc contre la barrière, je reconnus Carmen. Il me suffit de la voir une minute pour être sûr de mon fait. Lucas, au premier taureau, fit le joli cœur, comme je l'avais prévu. Il arracha la cocarde [1] du taureau et la porta à Carmen, qui s'en coiffa sur-le-champ. Le taureau se chargea de me venger. Lucas fut culbuté avec son cheval sur la poitrine, et le taureau par-dessus tous les deux.

---

1. *La divisa,* nœud de rubans dont la couleur indique les pâturages d'où viennent les taureaux. Ce nœud est fixé dans la peau du taureau au moyen d'un crochet, et c'est le comble de la galanterie que de l'arracher à l'animal vivant, pour l'offrir à une femme.

Je regardai Carmen, elle n'était déjà plus à sa place.
Il m'était impossible de sortir de celle où j'étais, et
je fus obligé d'attendre la fin des courses. Alors j'allai
à la maison que vous connaissez, et je m'y tins coi
toute la soirée et une partie de la nuit. Vers deux
heures du matin Carmen revint, et fut un peu
surprise de me voir.

– Viens avec moi, lui dis-je.

– Eh bien ! dit-elle, partons.

J'allai prendre mon cheval, je la mis en croupe,
et nous marchâmes tout le reste de la nuit sans nous
dire un seul mot. Nous nous arrêtâmes au jour dans
une venta isolée, assez près d'un petit ermitage. Là
je dis à Carmen :

– Écoute, j'oublie tout. Je ne te parlerai de rien ;
mais jure-moi une chose : c'est que tu vas me suivre
en Amérique, et que tu t'y tiendras tranquille.

– Non, dit-elle d'un ton boudeur, je ne veux pas
aller en Amérique. Je me trouve bien ici.

– C'est parce que tu es près de Lucas : mais
songes-y bien, s'il guérit, ce ne sera pas pour faire
de vieux os. Au reste, pourquoi m'en prendre à lui ?
Je suis las de tuer tous tes amants ; c'est toi que je
tuerai.

Elle me regarda fixement de son regard sauvage
et me dit :

– J'ai toujours pensé que tu me tuerais. La
première fois que je t'ai vu, je venais de rencontrer
un prêtre à la porte de ma maison. Et cette nuit, en
sortant de Cordoue, n'as-tu rien vu ? Un lièvre a

traversé le chemin entre les pieds de ton cheval. C'est
écrit.

– Carmencita, lui demandai-je, est-ce que tu ne
m'aimes plus ?

Elle ne répondit rien. Elle était assise les jambes
croisées sur une natte et faisait des traits par terre
avec son doigt.

– Changeons de vie, Carmen, lui dis-je d'un ton
suppliant. Allons vivre quelque part où nous ne
serons jamais séparés. Tu sais que nous avons, pas
loin d'ici, sous un chêne, cent vingt onces enterrées...
Puis, nous avons des fonds encore chez le Juif
Ben-Joseph.

Elle se mit à sourire, et me dit :

– Moi d'abord, toi ensuite. Je sais bien que cela
doit arriver ainsi.

– Réfléchis, repris-je ; je suis au bout de ma
patience et de mon courage ; prends ton parti ou je
prendrai le mien.

Je la quittai et j'allai me promener du côté de
l'ermitage. Je trouvai l'ermite qui priait. J'attendis
que sa prière fût finie ; j'aurais bien voulu prier, mais
je ne pouvais pas. Quand il se releva j'allai à lui.

– Mon père, lui dis-je, voulez-vous prier pour
quelqu'un qui est en grand péril ?

– Je prie pour tous les affligés, dit-il.

– Pouvez-vous dire une messe pour une âme qui
va peut-être paraître devant son Créateur ?

– Oui, répondit-il en me regardant fixement.

Et, comme il y avait dans mon air quelque chose
d'étrange, il voulut me faire parler :

– Il me semble que je vous ai vu, dit-il.

Je mis une piastre sur son banc.

– Quand direz-vous la messe ? lui demandai-je.

– Dans une demi-heure. Le fils de l'aubergiste de là-bas va venir la servir. Dites-moi, jeune homme, n'avez-vous pas quelque chose sur la conscience qui vous tourmente ? voulez-vous écouter les conseils d'un chrétien ?

Je me sentais près de pleurer. Je lui dis que je reviendrais, et je me sauvai. J'allai me coucher sur l'herbe jusqu'à ce que j'entendisse la cloche. Alors, je m'approchai, mais je restai en dehors de la chapelle. Quand la messe fut dite, je retournai à la venta. J'espérais que Carmen se serait enfuie ; elle aurait pu prendre mon cheval et se sauver... mais je la retrouvai. Elle ne voulait pas qu'on pût dire que je lui avais fait peur. Pendant mon absence, elle avait défait l'ourlet de sa robe pour en retirer le plomb. Maintenant, elle était devant une table, regardant dans une terrine pleine d'eau le plomb qu'elle avait fait fondre, et qu'elle venait d'y jeter. Elle était si occupée de sa magie qu'elle ne s'aperçut pas d'abord de mon retour. Tantôt elle prenait un morceau de plomb et le tournait de tous les côtés d'un air triste, tantôt elle chantait quelqu'une de ces chansons magiques où elles invoquent Marie Padilla, la maîtresse de don Pédro, qui fut, dit-on, la *Bari Crallisa,* ou la grande reine des bohémiens [1].

1. On a accusé Marie Padilla d'avoir ensorcelé le roi don Pèdre. Une tradition populaire rapporte qu'elle avait fait présent à la reine Blanche de Bourbon d'une ceinture d'or, qui parut aux yeux fascinés du roi comme un serpent vivant. De là la répugnance qu'il montra toujours pour la malheureuse princesse.

– Carmen, lui dis-je, voulez-vous venir avec moi ?

Elle se leva, jeta sa sébile, et mit sa mantille sur sa tête comme prête à partir. On m'amena mon cheval, elle monta en croupe et nous nous éloignâmes.

– Ainsi, lui dis-je, ma Carmen, après un bout de chemin, tu veux bien me suivre, n'est-ce pas ?

– Je te suis à la mort, oui, mais je ne vivrai plus avec toi.

Nous étions dans une gorge solitaire ; j'arrêtai mon cheval.

– Est-ce ici ? dit-elle.

Et d'un bond elle fut à terre. Elle ôta sa mantille, la jeta à ses pieds, et se tint immobile un poing sur la hanche, me regardant fixement.

– Tu veux me tuer, je le vois bien, dit-elle ; c'est écrit, mais tu ne me feras pas céder.

– Je t'en prie, lui dis-je, sois raisonnable. Écoute-moi ! tout le passé est oublié. Pourtant, tu le sais, c'est toi qui m'as perdu ; c'est pour toi que je suis devenu un voleur et un meurtrier. Carmen ! ma Carmen ! laisse-moi te sauver et me sauver avec toi.

– José, répondit-elle, tu me demandes l'impossible. Je ne t'aime plus ; toi, tu m'aimes encore, et c'est pour cela que tu veux me tuer. Je pourrais bien encore te faire quelque mensonge ; mais je ne veux pas m'en donner la peine. Tout est fini entre nous. Comme mon rom, tu as le droit de tuer ta romi ; mais Carmen sera toujours libre. Calli elle est née, calli elle mourra.

– Tu aimes donc Lucas ? lui demandai-je.

– Oui, je l'ai aimé, comme toi, un instant, moins

que toi peut-être. A présent, je n'aime plus rien, et je me hais pour t'avoir aimé.

Je me jetai à ses pieds, je lui pris les mains, je les arrosai de mes larmes. Je lui rappelai tous les moments de bonheur que nous avions passés ensemble. Je lui offris de rester brigand pour lui plaire. Tout, monsieur, tout ; je lui offris tout, pourvu qu'elle voulût m'aimer encore !

Elle me dit :

– T'aimer encore, c'est impossible. Vivre avec toi, je ne le veux pas.

La fureur me possédait. Je tirai mon couteau. J'aurais voulu qu'elle eût peur et me demandât grâce, mais cette femme était un démon.

– Pour la dernière fois, m'écriai-je, veux-tu rester avec moi !

– Non ! non ! non ! dit-elle en frappant du pied.

Et elle tira de son doigt une bague que je lui avais donnée, et la jeta dans les broussailles.

Je la frappai deux fois. C'était le couteau du Borgne que j'avais pris, ayant cassé le mien. Elle tomba au second coup sans crier. Je crois voir encore son grand œil noir me regarder fixement ; puis il devint trouble et se ferma. Je restai anéanti une bonne heure devant ce cadavre. Puis, je me rappelai que Carmen m'avait dit souvent qu'elle aimerait à être enterrée dans un bois. Je lui creusai une fosse avec mon couteau, et je l'y déposai. Je cherchai longtemps sa bague et je la trouvai à la fin. Je la mis dans la fosse auprès d'elle avec une petite croix. Peut-être ai-je eu tort. Ensuite je montai sur mon cheval, je galopai jusqu'à Cordoue, et au premier corps de garde je me fis connaître. J'ai dit que j'avais tué Carmen ; mais je n'ai pas voulu dire où était son corps. L'ermite était un saint homme. Il a prié pour elle. Il a dit une messe pour son âme... Pauvre enfant ! Ce sont les *Calés* qui sont coupables pour l'avoir élevée ainsi.

IV

L'Espagne est un des pays où se trouvent aujourd'hui en plus grand nombre encore, ces nomades dispersés dans toute l'Europe, et connus sous les noms de *Bohémiens, Gitanos, Gypsies, Zigeuner,* etc. La plupart demeurent, ou plutôt mènent une vie errante dans les provinces du Sud et de l'Est, en Andalousie, en Estramadure, dans le royaume de Murcie ; il y en a beaucoup en Catalogne. Ces derniers passent souvent en France. On en rencontre dans toutes nos foires du Midi. D'ordinaire, les hommes exercent les métiers de maquignon, de vétérinaire et de tondeur de mulets ; ils y joignent l'industrie de raccommoder les poêlons et les instruments de cuivre, sans parler de la contrebande et autres pratiques illicites. Les femmes disent la bonne aventure, mendient et vendent toutes sortes de drogues innocentes ou non.

Les caractères physiques des Bohémiens sont plus faciles à distinguer qu'à décrire, et lorsqu'on en a vu un seul, on reconnaîtrait entre mille un individu de cette race. La physionomie, l'expression, voilà surtout ce qui les sépare des peuples qui habitent le même pays. Leur teint est très basané, toujours plus foncé que celui des populations parmi lesquelles ils vivent. De là le nom de *Calés*, les noirs, par lequel ils se désignent souvent [1]. Leurs yeux sensiblement obliques, bien fendus, très noirs, sont ombragés par des cils longs et épais. On ne peut comparer leur regard qu'à celui d'une bête fauve. L'audace et la timidité s'y peignent tout à la fois, et sous ce rapport leurs yeux révèlent assez bien le caractère de la nation, rusée, hardie, mais craignant *naturellement les coups* comme Panurge. Pour la plupart les hommes sont bien découplés, sveltes, agiles ; je ne crois pas en avoir jamais vu un seul chargé d'embonpoint. En Allemagne, les Bohémiennes sont souvent très jolies ; la beauté est fort rare parmi les Gitanas d'Espagne. Très jeunes elles peuvent passer pour des laiderons agréables ; mais une fois qu'elles sont mères, elle deviennent repoussantes. La saleté des deux sexes est incroyable, et qui n'a pas vu les cheveux d'une matrone bohémienne s'en fera difficilement une idée, même en se représentant les crins les plus rudes, les plus gras, les plus poudreux. Dans quelques grandes villes d'Andalousie, certaines jeunes filles, un peu plus agréables que les autres, prennent plus de soin de leur personne. Celles-là vont danser pour de l'argent, des danses qui ressemblent fort à celles que l'on interdit dans nos bals publics du carnaval. M. Borrow, missionnaire

1. Il m'a semblé que les Bohémiens allemands, bien qu'ils comprennent parfaitement le mot *Calés*, n'aimaient point à être appelés de la sorte. Ils s'appellent entre eux *Romané tchavé*.

anglais, auteur de deux ouvrages fort intéressants sur les Bohémiens d'Espagne, qu'il avait entrepris de convertir, aux frais de la Société biblique, assure qu'il est sans exemple qu'une Gitana ait jamais eu quelque faiblesse pour un homme étranger à sa race. Il me semble qu'il y a beaucoup d'exagération dans les éloges qu'il accorde à leur chasteté. D'abord, le plus grand nombre est dans le cas de la laide d'Ovide : *Casta quam nemo rogavit* [1]. Quant aux jolies, elles sont comme toutes les Espagnoles, difficiles dans le choix de leurs amants. Il faut leur plaire, il faut les mériter. M. Borrow cite comme preuve de leur vertu un trait qui fait honneur à la sienne, surtout à sa naïveté. Un homme immoral de sa connaissance offrit, dit-il, inutilement plusieurs onces à une jolie Gitana. Un Andalou, à qui je racontai cet anecdote, prétendit que cet homme immoral aurait eu plus de succès en montrant deux ou trois piastres, et qu'offrir des onces d'or à une Bohémienne, était un aussi mauvais moyen de persuader, que de promettre un million ou deux à une fille d'auberge. – Quoi qu'il en soit, il est certain que les Gitanas montrent à leurs maris un dévouement extraordinaire. Il n'y a pas de danger ni de misères qu'elles ne bravent pour les secourir en leurs nécessités. Un des noms que se donnent les Bohémiens, *Romé* ou les *époux,* me paraît attester le respect de la race pour l'état de mariage. En général on peut dire que leur principale vertu est le

---

1. « Elle est chaste celle que jamais personne ne sollicita. » Ovide, *Amours.* I, VIII, 43.

patriotisme, si l'on peut ainsi appeler la fidélité qu'ils observent dans leurs relations avec les individus de même origine qu'eux, leur empressement à s'entraider, le secret inviolable qu'ils se gardent dans les affaires compromettantes. Au reste, dans toutes les associations mystérieuses et en dehors des lois, on observe quelque chose de semblable.

J'ai visité, il y a quelques mois, une horde de Bohémiens établis dans les Vosges. Dans la hutte d'une vieille femme, l'ancienne de sa tribu, il y avait un Bohémien étranger à sa famille, attaqué d'une maladie mortelle. Cet homme avait quitté un hôpital où il était bien soigné, pour aller mourir au milieu de ses compatriotes. Depuis treize semaines il était alité chez ses hôtes, et beaucoup mieux traité que les fils et les gendres qui vivaient dans la même maison. Il avait un bon lit de paille et de mousse avec des draps assez blancs, tandis que le reste de la famille, au nombre de onze personnes, couchaient sur des planches longues de trois pieds. Voilà pour leur hospitalité. La même femme, si humaine pour son hôte, me disait devant le malade : *Singo, singo, homte hi mulo.* Dans peu, dans peu, il faut qu'il meure. Après tout, la vie de ces gens est si misérable, que l'annonce de la mort n'a rien d'effrayant pour eux.

Un trait remarquable du caractère des Bohémiens, c'est leur indifférence en matière de religion ; non qu'ils soient esprits forts ou sceptiques. Jamais ils n'ont fait profession d'athéisme. Loin de là, la religion du pays qu'ils habitent est la leur ; mais ils en changent en changeant de patrie. Les superstitions qui, chez les peuples grossiers, remplacent les sentiments religieux, leur sont également étrangères. Le moyen, en effet, que des superstitions existent chez des gens qui vivent le plus souvent de la crédulité des autres. Cependant, j'ai remarqué chez les Bohémiens espagnols une horreur singulière pour le contact d'un cadavre. Il y en a peu qui consentiraient pour de l'argent à porter un mort au cimetière.

J'ai dit que la plupart des Bohémiennes se mêlaient de dire la bonne aventure. Elles s'en acquittent fort bien. Mais ce qui est pour elles une source de grands profits, c'est la vente des charmes et des philtres amoureux. Non seulement elles tiennent des pattes de crapauds pour fixer les cœurs volages, ou de la poudre de pierre d'aimant pour se faire aimer des insensibles ; mais elles font au besoin des conjurations puissantes qui obligent le diable à leur prêter son secours. L'année dernière, une Espagnole me racontait l'histoire suivante : Elle passait un jour dans la rue d'Alcalà, fort triste et préoccupée ; une Bohémienne accroupie sur le trottoir lui cria : « Ma belle dame, votre amant vous a trahie. » C'était la vérité. « Voulez-vous que je vous le fasse revenir ? » On comprend avec quelle joie la proposition fut acceptée, et quelle devait être la confiance inspirée par une personne qui devinait ainsi, d'un coup d'œil, les secrets intimes du cœur. Comme il eût été impossible de procéder à des opérations magiques dans la rue la plus fréquentée de Madrid, on convint d'un rendez-vous pour le lendemain. « Rien de plus facile que de ramener l'infidèle à vos pieds, dit la Gitana. Auriez-vous un mouchoir, une écharpe, une mantille qu'il vous ait donnée ? » On lui remit un fichu de soie. « Maintenant cousez avec de la soie cramoisie, une piastre dans un coin du fichu. – Dans un autre coin cousez une demi-piastre ; ici, une piécette ; là, une pièce de deux réaux. Puis il faut coudre au milieu une pièce d'or. Un doublon serait le mieux. » On coud le doublon et le reste. « A présent, donnez-moi le fichu, je vais le porter au Campo-Santo, à minuit sonnant. Venez avec moi, si vous voulez voir une belle diablerie. Je vous promets que dès demain vous reverrez celui que vous aimez. » La Bohémienne partit seule pour le Campo-Santo, car on avait trop peur des diables pour l'accompagner. Je vous laisse à penser si la pauvre amante délaissée a revu son fichu et son infidèle.

Malgré leur misère et l'espèce d'aversion qu'ils inspirent, les Bohémiens jouissent cependant d'une certaine considération parmi les gens peu éclairés, et ils en sont très vains. Ils se sentent une race supérieure pour l'intelligence et méprisent cordialement le peuple qui leur donne l'hospitalité. – Les Gentils sont si bêtes, me disait une Bohémienne des Vosges, qu'il n'y a aucun mérite à les attraper. L'autre jour, une paysanne m'appelle dans la rue, j'entre chez elle. Son poêle fumait, et elle me demande un sort pour le faire aller. Moi, je me fais d'abord donner un bon morceau de lard. Puis, je me mets à marmotter quelques mots en rommani. « Tu es bête, je disais, tu es née bête, bête tu mourras... »

Quand je fus près de la porte, je lui dis en bon allemand : « Le moyen infaillible d'empêcher ton poêle de fumer, c'est de n'y pas faire de feu. » Et je pris mes jambes à mon cou.

L'histoire des Bohémiens est encore un problème. On sait à la vérité que leurs premières bandes, fort peu nombreuses, se montrèrent dans l'est de l'Europe, vers le commencement du xve siècle ; mais on ne peut dire ni d'où ils viennent, ni pourquoi ils sont venus en Europe, et, ce qui est plus extraordinaire, on ignore comment ils se sont multipliés en peu de temps d'une façon si prodigieuse dans plusieurs contrées fort éloignées les unes des autres. Les Bohémiens eux-mêmes n'ont conservé aucune tradition sur leur origine, et si la plupart d'entre eux parlent de l'Égypte comme de leur patrie primitive, c'est qu'ils ont adopté une fable très anciennement répandue sur leur compte.

La plupart des orientalistes qui ont étudié la langue des Bohémiens, croient qu'ils sont originaires de l'Inde. En effet, il paraît qu'un grand nombre de racines et beaucoup de formes grammaticales du rommani se retrouvent dans des idiomes dérivés du sanscrit. On conçoit que dans leurs longues pérégrinations, les Bohémiens ont adopté beaucoup de mots étrangers. Dans tous les dialectes du rommani, on trouve quantité de mots grecs. Par exemple : *cocal*, os ; *pétalli*, fer de cheval ; *cafi*, clou, etc. Aujourd'hui, les Bohémiens ont presque autant de dialectes différents qu'il existe de hordes de leur race séparées les unes des autres. Partout ils parlent la langue du pays qu'ils habitent plus facilement que leur propre idiome, dont ils ne font guère usage que pour pouvoir s'entretenir librement devant des étrangers. Si l'on compare le dialecte des Bohémiens de l'Allemagne avec celui des Espagnols, sans communication avec les premiers depuis des siècles, on reconnaît une très grande quantité de mots communs ; mais la langue originale partout, quoiqu'à différents degrés, s'est notablement altérée par le contact des langues plus cultivées, dont ces nomades ont été contraints de faire usage. L'allemand, d'un côté, l'espagnol, de l'autre, ont tellement modifié le fond du rommani, qu'il serait impossible à un Bohémien de la Forêt Noire de converser avec un de ses frères andalous, bien qu'il leur suffît d'échanger quelques phrases pour reconnaître qu'ils parlent tous les deux un dialecte dérivé du même idiome. Quelques mots d'un usage très fréquent sont communs, je crois, à tous les dialectes ; ainsi, dans tous les vocabulaires que j'ai pu voir : *pani* veut dire de l'eau, *manro,* du pain, *mâs,* de la viande, *lon,* du sel.

Les noms de nombre sont partout à peu près les mêmes. Le dialecte allemand me semble beaucoup plus pur que le dialecte espagnol ; car il a conservé nombre de formes grammaticales primitives, tandis que les Gitanos ont adopté celles du castillan. Pourtant quelques mots font exception pour attester l'ancienne communauté de langage. – Les prétérits du dialecte allemand se forment en ajoutant *ium* à l'impératif qui est toujours la racine du verbe. Les verbes, dans le rommani espagnol, se conjuguent tous sur le modèle des verbes castillans de la première conjugaison. De l'infinitif *jamar,* manger, on devrait régulièrement faire *jamé,* j'ai mangé, de *lillar,* prendre, on devrait faire *lillé,* j'ai pris. Cependant quelques vieux bohémiens disent par exception : *jayon, lillon.* Je ne connais pas d'autres verbes qui aient conservé cette forme antique.

Pendant que je fais ainsi étalage de mes minces connaissances dans la langue rommani, je dois noter quelques mots d'argot français que nos voleurs ont empruntés aux Bohémiens. *Les mystères de Paris* ont appris à la bonne compagnie que *chourin* voulait dire couteau. C'est du rommani pur ; *tchouri* est un de ces mots communs à tous les dialectes. M. Vidocq appelle un cheval *grès,* c'est encore un mot bohémien *gras, gre, graste, gris.* Ajoutez encore le mot *romanichel* qui dans l'argot parisien désigne les Bohémiens. C'est la corruption de *romané tchave,* gars bohémiens. Mais une étymologie dont je suis fier, c'est celle de *frimousse,* mine, visage, mot que tous les écoliers emploient ou employaient de mon temps. Observez d'abord que Oudin, dans son curieux dictionnaire, écrivait en 1640, *firlimousse.* Or, *firla, fila* en rommani veut dire visage, *mui* a la même signification, c'est exactement *os* des Latins. La combinaison *firlamui* a été sur-le-champ comprise par un Bohémien puriste, et je la crois conforme au génie de sa langue.

En voilà assez pour donner aux lecteurs de *Carmen* une idée avantageuse de mes études sur le rommani. Je terminerai par ce proverbe qui vient à propos : *En retudi panda nasti abela macha.* En close bouche, n'entre point mouche.

TABLE

Les auteurs les plus prestigieux, les grands classiques de la littérature, *en texte intégral,* et illustrés de documents d'époque, les chefs-d'œuvre de la poésie française :

LA BIBLIOTHÈQUE LATTES les met à la portée de tous.

Ces ouvrages de collection, élégamment reliés sous jaquette, et d'un format commode, permettent à chacun de découvrir ou de retrouver les grands héros romanesques, de Julien Sorel à Philéas Fogg, les textes qui ont enthousiasmé toutes les générations, de Charles Dickens à Alexandre Dumas, les plus belles pages de notre littérature, de Flaubert à Hugo, de Voltaire à Zola.

BIBLIOTHÈQUE LATTÈS

LES CHEFS-D'ŒUVRE DE LA LITTÉRATURE

Dans la même collection :

BIBLIOTHÈQUE LATTÈS

LES CHEFS-D'ŒUVRE DE LA POÉSIE

Dans la même collection :

CHARLES BAUDELAIRE Les Fleurs du mal
JOSE-MARIA DE HEREDIA Les Trophées
VICTOR HUGO Les plus beaux poèmes
ALPHONSE DE LAMARTINE Méditations
LAUTREAMONT Les chants de Maldoror
STEPHANE MALLARME Poésies
ALFRED DE MUSSET Poésies
GERARD DE NERVAL Poésies et nouvelles
PIERRE DE RONSARD Les Amours
ARTHUR RIMBAUD Œuvres complètes
PAUL VERLAINE Poèmes
ALFRED DE VIGNY Poèmes
FRANÇOIS VILLON Œuvres complètes

Dépôt légal : mars 1989
Imprimé en Chine